El Manuscrito del rubí

Título original: *Le Grimoire au rubis*
Livre I: "Bertoul et le secret des hiboux"
Traducción: Francisco Moreno

© 2005, Casterman
© 2008, Marenostrum publicaciones S.L.
Para España y todos los países de habla hispana

comercial@editorialmarenostrum.com
www.editorialmarenostrum.com

ISBN: 978-84-96391-93-2
Depósito legal: CO-293-2008

Imprime: Taller de libros, S.L.
Impreso en España

BÉATRICE BOTTET

El Manuscrito del rubí

LIBRO I
EL SECRETO DE LOS BÚHOS

1

L A ANCIANA SEÑORA, casi sepultada bajo el grosor de las
mantas, descansaba sobre varias almohadas de lino blanco.

—Acércate, Bertoul —dijo con voz ronca—. ¿Por qué no has
traído tu instrumento?

—No me he atrevido, mi señora —respondió Bertoul—. Tenía miedo de fatigaros.

—¿Fatigarme? Oh, no… Voy a morir pronto, ciertamente. Pero fatigarme…

—¿Deseáis entonces que vaya a buscar mi rabel? —preguntó
el muchacho.

—No, hijo mío. No tenemos demasiado tiempo —suspiró,
jadeante, doña Hermelinda—. No lo tenemos, porque esta misma
noche iré a reunirme con mi esposo en el Reino de los Cielos. Y
aún tengo que despedirme de muchas personas antes de morir.

Doña Hermelinda no parecía preocupada por abandonar este
mundo. Sus ojos resplandecían como brasas, igual que de costumbre, en su rostro arrugado y enflaquecido, y su lengua era
tan acerada como siempre.

—Vamos, Bertoul, no se te ocurra llorar, es ridículo.

—Pero, mi señora, tenéis que vivir aún muchos años…

—Mi Creador me reclama junto a él. Y tengo una importante misión que confiarte.

—Mi señora Hermelinda, estoy en deuda con vos, que tan buena habéis sido conmigo… Estaré siempre a vuestro servicio para aquello que deseéis…

La anciana dama Hermelinda de Tournissan observó a su joven protegido. ¿Qué edad tenía ahora? Unos catorce o quince años… No lo recordaba bien…

Cuando el leñador Barthélemy, padre de Bertoul, murió aplastado por un árbol, doña Hermelinda acogió en su castillo a la joven viuda dándole el empleo de costurera. Pero sólo cuatro meses después, la costurera Mariette murió ahogada tras caer en la profunda tina del lavadero, dejando a un huérfano de seis años. ¡El desdichado Bertoul apenas conservaba un vago recuerdo de los que fueron sus padres!

Sin embargo, allá donde estuvieran, el leñador y la costurera debieron velar por su hijo, pues a Bertoul no le había faltado la buena suerte. Y así, fue criado y educado en el castillo junto a otros desventurados a quienes la señora nunca dudaba en socorrer. Nunca fue, desde luego, intención de la señora ni adoptarlo, ni hacer de él un futuro caballero, a semejanza de su sobrino Raoul o de su sobrino segundo Raoulet, pero sí se preocupó, al tiempo que lo albergaba, de proporcionarle una adecuada instrucción.

De esa manera, Bertoul no sólo no había conocido lo que era el hambre o el frío, sino que, al día de hoy, sabía leer, escribir, cantar y tocar diversos instrumentos. Y conocía de memoria numerosas canciones, poemas, leyendas, relatos de caballería, trovas de amor, farsas, sátiras y muchas otras piezas divertidas.

El viejo Jacquemin-Loriot fue el artífice de tan valiosas enseñanzas. Antiguo menestral, había recorrido tantos caminos antes de arribar al castillo de Tournissan, que los múltiples reumatismos que flagelaban su cuerpo le impidieron volver a ponerse en ruta.

—No tenéis por qué hacerlo, os podéis quedar aquí con mis otros protegidos —le propuso entonces la señora—. Y si deseáis pagar vuestra comida y el techo que os cobija, enseñadle todo lo que sabéis a este muchachito. Se llama Bertoul y sólo lleva seis meses en el castillo. Como veis, es muy pequeño aún para trabajar en los establos o convertirse en pinche de cocina. Pero es posible cantar a cualquier edad, ¿no es cierto?

—Ciertamente, señora —fue la respuesta de Jacquemin-Loriot—. También puede aprender a leer, a escribir, a recitar, a componer. Y mucho mejor cuanto antes se empiece.

—De acuerdo, entonces —concluyó a su vez la señora—. Enseñadle todo eso para que un día, cuando vos ya no estéis aquí, Bertoul pueda ser mi trovador.

—Y bien, Bertoul —dijo la señora—, no has podido ser mi músico por mucho tiempo. Apenas has completado tu instrucción, cuando es inevitable que yo abandone este mundo, igual que tu maestro Jacquemin-Loriot lo dejó el pasado año.

—Voy a encontrarme tan solo… —balbuceó Bertoul.

—Sí… más de lo que piensas, pues mi sobrino te expulsará del castillo, igual que echará fuera a todos los pobres que viven en él. Pero poco ha de importarte, porque con tus conocimientos y tus cualidades serás bien recibido en cualquier parte. Tournissan ya no significará nada para ti —suspiró Hermelinda— una vez que yo me haya ido de este mundo.

Sabía bien la dama de lo que hablaba. El barón Raoul de Mauchalgrin, su sobrino y heredero, era un noble muy bruto y despiadado, cuyo único objetivo era acrecentar sus riquezas y dominios. En cuanto a Raoulet, su sobrino segundo, que tenía poco más o menos la misma edad que Bertoul, carecía de las elevadas cualidades que se espera de un futuro caballero.

—Ah, si yo hubiera podido elegir a quién debía pertenecer el castillo... —suspiró doña Hermelinda mirando a su protegido—. Cuando pienso en ese Raoul... Y en ese Raoulet... En fin, quién sabe, quizá todo sea mejor así...

Confiaba absolutamente en Bertoul. Y la misión que quería encomendarle no era fácil. Antes de nada, era preciso confesarle la verdad. Una verdad que, en el umbral de la muerte, la colmaba de vergüenza. Después de hacerlo, se sentiría aliviada y podría partir en paz. Pero era tan difícil comenzar a hablar...

—¡Mi señora, tenéis que descansar, casi no podéis respirar!

—Es verdad, Bertoul, es verdad. Son mis faltas las que me sofocan. No puedo morir sin encargarte una misión que me redimirá.

—Mi señora, tenéis mucha fiebre y sin duda deliráis. ¿Faltas, decís? ¿Vos? ¡Vos que sois la bondad misma!

—Mejor di la falsedad misma, hijo mío. Sí, la falsedad, la falta de honradez, la hipocresía mismas.

—Eso es imposible de creer.

—Pues no sólo en necesario que me creas, hijo mío, sino que además debes prometerme...

—Todo lo que queráis, mi señora.

—Ah, me ahogo... Escúchame bien. Yo robé...

—¡No! —exclamó Bertoul.

—Sí, robé un documento muy valioso. Un libro. Es preciso que tú se lo devuelvas a aquél a quien se lo hurté.

—No puedo creeros... —murmuró Bertoul.

Pero doña Hermelinda no escuchó la interrupción y continuó diciendo:

—Su nombre es Magnus Gurhaval. Lo conocí bien en otro tiempo. Es un gran mago...

—¡Un mago!...

El asombro del muchacho no cesaba de crecer. Si no se lo hubiera dicho ella misma, jamás habría creído que un hombre así se hubiese contado entre sus relaciones. ¡Y además le había robado! La forma como miró a la anciana reflejaba todas sus dudas.

—Sí. Quién lo hubiera creído, ¿verdad? Un mago. Pero eso es lo que menos importa. Yo le robé su bien más preciado: su libro de magia, su manuscrito. Es preciso que tú se lo devuelvas.

La voz seca y autoritaria de la dama no dejaba elección. Esta vez, Bertoul permaneció como clavado en el sitio sin hacer el menor comentario.

—Ese hombre reside en París. Sí, lo sé, eso está muy lejos de aquí. La calle se llama la Grande Truanderie. ¿Lo recordarás?

—Sí, mi señora: Magnus Gurhaval, calle de la Grande Truanderie, en París.

—Se encuentra establecido como escribano público e iluminador, no como mago, naturalmente…

—Naturalmente —repitió Bertoul con voz baja y alterada.

—El manuscrito no está en el castillo. Tuve que esconderlo después de cometer el error de consultarlo en presencia de ese falso de Raoulet. No quiero que él lo encuentre. Los secretos que contiene serían demasiado peligrosos si cayeran en sus manos. Supongo que conoces el árbol de los búhos…

Bertoul permanecía espantado ante la sucesión de revelaciones que escuchaba. En cuanto al árbol, ¿quién no había oído hablar de su siniestra reputación?

—Tienes que ir hasta él, es un roble viejo y retorcido —dijo Hermelinda—. Los búhos no te harán ningún daño ni atraerán la desgracia sobre ti, puedes creerme. Más bien al contrario, muy al contrario… Hay un agujero en el árbol. Allí oculté el libro, envuelto en una gruesa tela. ¿Has comprendido todo lo que te he dicho?

—Sí, mi señora. No olvidaré nada.

Bertoul se preguntaba, no obstante, si su protectora no estaría delirando. Un manuscrito, un mago, un escondite secreto en el interior de un roble… ¿Qué nueva extravagancia iría a confesarle?

—Tan pronto como mi cuerpo repose bajo la lápida, mi sobrino te arrojará fuera de estos muros. Tendrás que irte sin otra posesión que la ropa que lleves puesta, tus instrumentos musicales y, con un poco de suerte, alimento para dos o tres días.

—Y con las monedas de plata que vos me habéis ido entregando en las fiestas solemnes —le recordó Bertoul—. Las tengo cuidadosamente escondidas.

—Eso es poco. Debí haberte dado monedas de oro. Pero, en fin, ya es demasiado tarde para lamentaciones. Tan pronto como seas expulsado, debes ir a recuperar el manuscrito y ponerte en camino hacia París. La cubierta del libro tiene en su mitad un rubí ovalado. ¿Sabes lo que es un rubí? Bien. Otra cosa: no intentes en ningún caso leerlo. Te expondrías a… En fin, si eres demasiado curioso, peor para ti, ya lo comprobarás…

—Vos sabéis que no soy ningún entrometido, mi señora Hermelinda.

—Lo sé, pero a veces eres un poco curioso.

Eso era cierto… Bertoul se frotó la nariz un poco molesto.

—Si Magnus ha muerto, y sólo cuando tengas la seguridad de que ya no está en este mundo, abrirás el manuscrito por la última página. Allí encontrarás unas instrucciones que te están destinadas.

La anciana señora jadeaba cada vez más y sus manos se crispaban sobre la sábana, pero aún no había acabado. Entre estertores, añadió:

—Pídele a Magnus que me perdone. Me he portado tan mal…

—Al contrario, mi señora, sólo habéis tenido bondad para todos nosotros.

El muchacho sentía lo que decía, quería a esa mujer exigente y enérgica, áspera a veces, pero con un corazón de inagotable bondad. Hermelinda de Tournissan era toda una imagen ejemplar de una noble dama: buena ama de sus dominios, cultivada, generosa, emprendedora. Tan caritativa con todos los desventurados, y con Bertoul en particular.

—No digas más simplezas. He sido ruin, he robado el bien ajeno y, sobre todo, sobre todo, he…

Por un momento, la señora pareció vacilar, luego concluyó:

—He practicado algunos sortilegios del manuscrito…

Repentinamente turbado, Bertoul tomó la arrugada mano de la anciana. Estaba fresca y seca. Sin rastro de fiebre. ¿Existirían ese manuscrito y esos sortilegios de verdad?

¡Por el amor de Dios! ¿Qué habría podido ella hacer? Una ráfaga de recuerdos cruzó por su mente: ciertos comportamientos extraños de la dama, la mirada increíblemente penetrante con que a veces le taladraba, las pequeñas desgracias que regularmente se abatían sobre aquellos que le molestaban… Y ese rostro apergaminado, con esa nariz como el pico de un águila… ¿Una bruja?

—No soy ninguna bruja —dijo Hermelinda como si hubiese estado leyendo sus pensamientos—. Pero, como acabo de decirte, el caso es que he empleado algunas fórmulas… Siempre buscando lo mejor para todos…

La anciana tosió, parecía haberse quedado sin aliento.

—¡No podía ser de otra forma, siendo vos tan buena! —habló precipitadamente Bertoul.

—Sí, siempre he buscado lo mejor para todos —prosiguió la anciana señora entre gemidos—. Para ti también. Eres un buen muchacho, Bertoul, e incluso un buen músico.

Ante estas palabras, el aludido sintió que los ojos se le cargaban de lágrimas.

La pobre señora parecía cada vez más débil. ¿Una bruja? ¿Ella? ¡Vamos! ¡Si era la mejor mujer que había sobre la tierra! De pronto pareció como si las fuerzas la hubiesen abandonado por completo. Entonces murmuró entre jadeos:

—De prisa, Bertoul, llama a mi familia y a mi capellán.

—Sí, mi señora, voy ahora mismo.

—Si tienes dificultades con el manuscrito, pídele a ella que te ayude —consiguió decir la anciana tras un nuevo esfuerzo.

—¿Ella? ¿Quién es ella? —preguntó asombrado el muchacho.

Pero Hermelinda ya no parecía capaz de hablar. Su cabeza cayó sin fuerzas hacia un lado, y Bertoul, asustado, fue a abrir la pesada puerta de madera para pedir auxilio. Apenas pudo escuchar la respuesta de su bienhechora, sus últimas palabras, casi inaudibles, que le estaban destinadas:

—Ve a buscarla… a ella… a Blanche de Vauluisant.

A continuación entraron en la estancia el barón y su hijo, el capellán, el intendente y todos los demás habitantes del castillo, quienes, uno por uno, desearon a Hermelinda de Tournissan un sosegado tránsito al otro mundo.

—Adiós, mi buena señora —murmuró Bertoul besando la arrugada mano.

Luego, deseando pasar inadvertido, desapareció de forma apresurada.

⌐SORTILEGIO
para curar una larga enfermedad

Si alguien lleva enfermo mucho tiempo,
lee siete veces el salmo
'Exaltabo te, Domine quoniam'
sobre una copa de agua limpia
y lava al paciente con ella.
Léelo después siete veces sobre aceite,
escribe los caracteres sagrados en un pergamino
y úntalos con almizcle;
dilúyelos después en el aceite y unge con él al enfermo.

2

DESPUÉS DE LA MISA y las exequias, los habitantes del castillo, convocados por Raoul de Mauchalgrin, se reunieron en la sala grande. Allí murmuraban y se removían inquietos, a la espera de lo que el nuevo señor tuviera que decirles. Bertoul, con los brazos cruzados, permanecía apoyado en una columna de piedra. A la tristeza por la muerte de la buena señora Hermelinda, le sucedía la curiosidad, y también la inquietud. ¿Cuál iba a ser el porvenir de todos ellos?

Finalmente la puerta se abrió de par en par y apareció el barón. Se hizo un inmediato silencio. Luego, Raoul de Mauchalgrin, seguido de su hijo, avanzó a grandes pasos, lentos y sonoros, en medio de la muchedumbre que se apartaba para dejarle la vía libre. Subió los dos escalones del estrado y, sin apartar su altiva mirada sobre los allí reunidos, prolongó con delectación el momento de instalarse sobre la alta cátedra de madera esculpida. Nadie osó despegar los labios.

Raoul de Mauchalgrin, ya soberano de su propio feudo, soñaba desde hacía mucho tiempo con poder instalarse en el de su anciana tía, cuyos dominios no sólo eran más ricos que los suyos, sino que además estaban situados en una ruta que le iba a permitir una buena recaudación en concepto de peajes y derechos de aduana.

«¡Voto al demonio, la vieja arpía ha tardado mucho tiempo en morir!», iba gruñendo para sí. ¡Por suerte no tuvo ningún hijo! Y ahora había, por fin, rendido el alma y reposaba en la cripta, yacente junto a su marido, muerto hacía ya tantos años. ¡De allí ya no iba a levantarse, gracias al cielo! La misa funeral se había celebrado, los campesinos y los criados del castillo habían llorado lo mismo que todos los pordioseros a los que tan aficionada era a hospedar. Esos mismos a quienes les quedaba ya poco tiempo de estorbar en Tournissan…

Este pensamiento hizo que le brotara una risita seca y chirriante, que enseguida fue imitada por Raoulet.

—Tú cállate, imbécil —ordenó el padre al hijo—. ¿Sabes acaso por lo que me río?

La risita de Raoulet se ahogó al momento.

—Ya veremos si tienes ganas de reír cuando, dentro de unos días, partas al servicio de Audouin de Fougeray, del que vas a ser su escudero.

—¿Qué están diciendo? —preguntó en voz baja una mujer que estaba junto a una de las columnas de la sala.

—Creo que Raoulet está recibiendo un rapapolvo —dijo irónicamente Bertoul.

—No tardaremos en recibirlo también nosotros —replicó la mujer.

Tras un carraspeo, Raoul de Mauchalgrin tomó de forma ruda la palabra.

—Bien. Todos vosotros sois desde ahora mis súbditos. Y os voy a decir cómo pienso reorganizar las posesiones de mi difunta tía, la señora de Tournissan. Escuchad con atención, porque no pienso volver a repetirlo.

Seguidamente, el nuevo señor ordenó numerosas jornadas de faena hasta que el castillo estuviera acondicionado a su gusto.

Decidió que los soldados tendrían doble ración de víveres, los cuales deberían salir de las reservas de los campesinos. Y como su mesa debía estar siempre provista de los platos más exquisitos, consideró necesaria la creación de nuevos impuestos. Una especie de sordo murmullo no tardó en elevarse.

—Ah, y una cosa más —remachó el señor de Mauchalgrin—, la horca volverá a funcionar ante cualquier intento de insubordinación. Habrá que restaurarla, me ha parecido muy deteriorada durante mi inspección.

Raoulet cabeceó repetidamente, aprobando las palabras de su padre.

El murmullo continuó, aunque ahora atenuado por el miedo. Doña Hermelinda jamás se había servido de la horca, posiblemente ni siquiera conociese su existencia.

«Ay, mi pobre señora, si supieseis lo que va a ser de vuestras tierras y vuestras gentes», se dijo a sí mismo Bertoul. Por un momento consideró la posibilidad de componer una elegía, pero Raoul de Mauchalgrin volvió a hablar y su discurso le concernía.

—En cuanto a todos los mendigos, pordioseros, desarrapados y vagabundos que están alojados en estas dependencias, no voy a tolerar que continúen mancillando *mi* castillo con sus andrajos y sus piojos.

El nuevo señor estiró el brazo. Sabía perfectamente quiénes eran los huéspedes que la caridad de su tía había cobijado.

—Tú mismo, y también tú, y tú, el músico —y aquí señaló a Bertoul—, y tú, el viejo malabarista incapaz ya de hacer un solo juego, y tú, la chica medio idiota, y también tú, el mocoso que arrastra la pierna, a partir de mañana no os quiero ver por mis tierras.

«Bueno, ya está», se dijo Bertoul, «acabo de ser expulsado...». Aturdido, aún no comprendía demasiado bien el alcance de lo que le sucedía.

—¡Pero, señor —habló una mujer—, el pequeño Perrinet es huérfano además de estar cojo, y sólo tiene cuatro años!

—¿Y qué? A esa edad ya puede ir a mendigar por las aldeas.

—¡Qué corazón de piedra! —dijo la mujer entre dientes.

—Te prevengo —tronó Raoul—, la horca sirve también para las mujeres.

Nadie más se atrevió a protestar.

—Ved, sin embargo, que voy a ser bueno —concluyó Raoul con una mueca de desprecio—. No se podrá decir que os he arrojado al camino sin compasión. En las cocinas se os proveerá a cada uno de víveres para una jornada entera: un cuarto de pan, una cebolla y dos medidas de uvas pasas… No, creo que con una medida bastará… Pero después no os quiero volver a ver nunca más. Los demás, poneos ahora en fila ante mi intendente, pues va a organizar de inmediato los primeros trabajos suplementarios.

Dicho esto, Raoul se levantó y, siempre seguido por su sonriente vástago, abandonó la sala.

El nuevo intendente confeccionaba ya sus listas de trabajo.

«¡Y bien», pensó Bertoul asombrado, «curiosa manera de tomar posesión de un dominio!»

Otros habrían, sin duda, preguntado afectuosamente a cada uno acerca de sus habilidades, sus competencias, su labor en el castillo o en el campo. A Raoul de Mauchalgrin le había traído sin cuidado mostrar su peor cara ante sus nuevos súbditos.

Bertoul perdía así el que había sido su hogar durante tanto tiempo: la amable compañía de las gentes del castillo, la protección del capitán de la guardia, el afecto del antiguo intendente, las bendiciones del capellán, la familiaridad con los criados, la dulce compañía de las sirvientas.

Nada, ya no tendría nada de todo eso en adelante.

Un ligero temblor de piernas le sacudió cuando tomó conciencia de que a partir de la mañana siguiente sería un vagabundo más recorriendo los caminos, un mendicante, un harapiento...

¡Y pensar que había creído que podría consagrarse sin prisas a la misión que doña Hermelinda le había confiado! Ya se había imaginado preparando cuidadosamente su viaje, yendo discretamente a buscar el manuscrito, informándose acerca de la ruta para llegar a París, reuniendo con cautela todo lo necesario, despidiéndose tranquilamente de los habitantes del castillo, incorporándose quizá a una de esas comitivas de mercaderes que de vez en cuando atravesaban el territorio, siempre bien protegidas por guardias armados.

¡Adiós al proyecto seguro y tranquilo, a la aventura bajo protección!

Por otra parte, no conocía a nadie que pudiera aconsejarle. ¿Cómo iba a orientarse? ¿Cómo iba a alimentarse durante el viaje? ¿Cómo podía defenderse de los bandidos, los leprosos, los animales salvajes, los desconocidos?

Tras el temor, le sobrevino la ira. ¡Los Mauchalgrin, amos de Tournissan! Precisamente ellos... Qué tristeza... El frío, calculador y despiadado Raoul. El falso, débil y taimado Raoulet. Esa dañina pareja era capaz de transformar a Tournissan en un infierno donde los disidentes serían colgados y los menesterosos perseguidos.

¿Huir o ser ahorcado? Bertoul no tenía elección: al día siguiente tendría que lanzarse hacia lo desconocido, sin otra arma que sus instrumentos musicales.

SORTILEGIO
para encontrar la solución a un problema

Enciende una vela verde y quema un grano de incienso.
Luego, mirando siempre hacia el oeste,
ensarta trece almendras
en una hebra de hilo verde y forma con ellas un collar.
Pide la ayuda del arcángel Gabriel.
Y elevando los brazos al cielo, ofreciendo el collar,
di la siguiente oración:
'Yo te suplico, gran príncipe de la luz, que escuches mi plegaria,
arcángel Gabriel, guardián de la torre del Oeste.
Transforma estas almendras en un talismán mágico
para que la prosperidad me sea concedida.
Mi corazón es puro y mi demanda justa,
te ruego que hagas que mi deseo se realice. Que así sea.'
Después de esto, lleva siempre encima tu talismán.
Verás entonces cómo surgen las respuestas a tus preguntas
y cómo las oportunidades maravillosas
no tardarán en presentarse.

3

MIENTRAS EL INTENDENTE de los Mauchalgrin organizaba los turnos de trabajo, y los campesinos abandonaban cabizbajos la sala uno tras otro, Bertoul se escabulló para ir a rendir una última visita a la buena señora doña Hermelinda. Su resentimiento hacia los Mauchalgrin se desvaneció nada más entrar en la oscura y pequeña capilla. Con aflicción en el alma y congoja en el corazón, habló a media voz, dirigiéndose a la lápida bajo la que reposaba la dama. Sus palabras surgieron a borbotones, llenas de nostalgia y emoción:

—Mi buena señora, hoy no soy capaz de sonreír, no reconoceríais en mí a vuestro alegre músico. Parto mañana hacia esos caminos y nunca más podré volver a honrar vuestra tumba. Estoy dispuesto a cumplir la hermosa misión que me habéis confiado y os hago el juramento de que, si aún vive, el mago Magnus Gurhaval os concederá su perdón, aunque tuviera que forzarle a ello. No podéis imaginar la tristeza en la que vuestra pérdida me ha sumido. Pero no estoy asustado. Confío en que vuestro espíritu ha de ayudarme, desde el más allá, en esta misión. Dicen que los muertos pueden hacer eso, ayudar a los que han amado en la tierra, y yo sé bien que vos me habéis querido. Que vuestras faltas sean perdonadas en ese otro mundo. Rogaré por vos y por vuestra salvación, buena señora. Adiós. Que así sea.

La puerta de madera se abrió entonces con un quejumbroso chirrido de sus goznes.

—¡Así que merodeando por la capilla de nuestro castillo! —sonó tras él la voz chillona de Raoulet—. ¿Qué estabas mascullando?

—Sólo me despedía de doña Hermelinda antes de dejar Tournissan para siempre.

—Esa vieja loca —gruñó Raoulet—. Bien que nos ha hecho esperar...

—¡Respetad su memoria, mi señor! —dijo Bertoul apretando los puños, aunque sabiéndose impotente para hacerle tragar sus palabras.

—No se ha dado ninguna prisa en morir —prosiguió Raoulet—. Pero aquí estamos por fin tomando posesión de nuestro feudo.

—¿«Nuestro» feudo? Lo es de vuestro padre, mi señor Raoulet, y sólo de vuestro padre —le rectificó Bertoul sin ocultar un deje de ironía.

Pues era sabido que Raoulet, al contrario que su progenitor, no había heredado derecho alguno sobre Tournissan.

—¡También lo es mío, maldito impertinente! ¡Y no voy a tolerarte estas confianzas! ¡Fuera de mi presencia! ¡Y bórrate esa sonrisa! Al parecer eras el protegido de la vieja, pero ahora eso se ha acabado, je, je.

—Lo sé —dijo Bertoul.

¡Qué razón había tenido la señora al darle un motivo para abandonar rápidamente Tournissan!

—¡Sal de esta capilla! —ordenó Raoulet.

Bertoul no respondió. En medio del olor a incienso que todavía flotaba después de la misa, y de la imprecisa luz de cuatro cirios, se arrodilló ante la losa sepulcral.

—¡Sal de aquí! —aulló Raoulet—. ¡Se acabaron los melindres!

Bertoul se levantó sin prisa y, acompañado de los últimos chillidos de Raoulet, se dirigió hacia la puerta de la capilla, satisfecho en cierto modo —flaco consuelo— de haberlo exasperado con su premeditada lentitud.

Llegada la tarde, en una cálida sala del piso bajo, próxima a las cocinas, todos cuantos habían vivido de la caridad de doña Hermelinda se preparaban para partir al día siguiente. Con ellos estaban algunos criados y sirvientas. Una mujer del pueblo cercano, que había perdido recientemente a su hijo, tomó la decisión de adoptar al pequeño lisiado; el resto de los menesterosos debía partir temprano. Había un intercambio de palabras tristes, de miradas húmedas. Bertoul, por su parte, saboreaba aún la satisfacción de haber hecho frente a los gritos de Raoulet.

—¡Parece como si estuvieras contento de marcharte! —observó con acritud un joven criado.

—Estoy contento de escapar de los Mauchalgrin —respondió Bertoul—. Por lo demás, no me siento muy animado y echo de menos a la señora. Pero, ¿qué puedo hacer? ¿Qué podemos hacer cualquiera de nosotros? Ellos son los amos y nosotros no somos más que unas pobres gentes.

—¿Crees que serás más dichoso por esos caminos, solo, sin un fuego, sin comida? La primavera ha venido fresca este año…

—No lo sé. En cualquier caso, puesto que no puedo quedarme aquí, ¿de qué serviría lamentarme? Los que nos vamos llevaremos al menos con nosotros un buen recuerdo de Tournissan.

Un pequeño alboroto se había ido formando. Unos hablaban, otros lloraban, los de más allá despotricaban de los Mauchalgrin. Bertoul permaneció silencioso, a la espera impaciente del nuevo día.

«Mañana empiezo una nueva vida», pensaba. «En fin, nada de penas… O las menos posibles… Nunca he sido de los que se quejan…»

Decidió hacer el recuento de sus bienes.

En primer lugar, tenía un carácter habitualmente alegre. Después, gozaba de buena salud. Una salud de hierro. Además, sabía pelear, aunque eso no le convertía en un individuo excepcional: todos los muchachos de su edad, del castillo o de las aldeas, disfrutaban con cada pelea. Era una especie de juego.

También poseía algunos tesoros: doce moneditas de plata, que ocultaba cuidadosamente entre la suela y la guarnición de su calzado, unos botines acabados en punta que sujetaba alrededor de su tobillo con un cordón metódicamente anudado. Su viejo maestro le había enseñado cómo deslizar las monedas y volver a coser la suela. Era un consejo útil para los viajeros. Pero ese dinero era poca cosa comparado con su magnífico cuchillo de hoja resistente y afilada. En cuanto a sus vestidos, eran fuertes y cálidos, y se completaban con una capa de lana, una camisa y unas calzas de repuesto, guardadas en el zurrón. Zurrón que contenía algo aún más importante: algunos pergaminos vírgenes y otros con canciones escritas, un pequeño recipiente con tapón de metal lleno de tinta y, especialmente, sus instrumentos musicales: una flauta, un tamboril y su querido rabel.

«Además», concluyó después del silencioso inventario, «mi señora me regaló una buena instrucción: sé leer, escribir, cantar y tocar varios instrumentos. Creo que podré ganarme la vida fácilmente en el camino a París. En cuanto a lo demás…, pienso que encontrar a un escribano público que vive en la calle de la Grande Truanderie no debe de ser tan difícil.»

—Toma, Bertoul, esta es tu ración para el camino.

La señora Gauberte, responsable de las reservas de víveres del castillo, le alargó un hatillo. Bertoul lo sopesó.

—¿Sólo hay un cuarto de pan y una cebolla? —preguntó con asombro.

—Olvidas la medida de uvas pasas —completó Gauberte antes de seguir con la distribución de paquetes.

Bertoul abrió el suyo: además de los alimentos ordenados por el barón, las sirvientas de las cocinas habían añadido un grueso pedazo de queso curado, un trozo de tocino, un puñado de nueces y algunas de las últimas manzanas. En cuanto a las pasas, había al menos tres o cuatro medidas.

—Os aprovechará más a vosotros que a nuestro nuevo señor, ¿no es cierto? —observó Gauberte—. Pero no digáis nada, pues nos haríais correr un gran riesgo. Y ahora, Bertoul, toca por última vez para nosotras algunas canciones con tu buen rabel.

«¿Buen rabel? ¡Vaya, vaya!», pensó el aludido. He ahí un bonito apellido para quien hasta entonces no tenía más que su nombre de pila….

Bertoul no se hizo de rogar, y comenzó con una elegía en honor de doña Hermelinda. Pero la melodía era tan triste que provocó en los oyentes un rumiar de pensamientos nostálgicos y de inquietud por el futuro.

«La tristeza es un grave pecado», decía a menudo doña Hermelinda.

Y al ver que la melancolía se adueñaba de todos, Bertoul decidió cambiar de repertorio y escogió una tonada más alegre, seguida de una tierna balada de enamorados y de muchas otras similares, para acabar con una canción satírica tan divertida que hizo llorar a todos los presentes, pero esta vez de risa.

—Eres capaz de hacer que olvidemos lo que nos espera —dijo la señora Gauberte enjugándose los ojos.

—Esa era la intención —confirmó Bertoul mientras guardaba arco y rabel en su zurrón.

—¿Dónde estaremos mañana a esta hora? —suspiró, sin embargo, su vecino.

Pero Bertoul, que no quería volver al turno de lamentaciones, planteó una pregunta inesperada, la única que tenía importancia para él.

—¿Alguien sabe qué camino hay que seguir para ir a París? —preguntó con tono animado.

Varios ojos se abrieron desmesuradamente al oír mencionar un destino tan extravagante.

París estaba tan lejos… Nadie supo responder a la pregunta del joven músico.

⸜SORTILEGIO⸝
para enfrentarse a todos los hechizos y venenos

Mata un lobo,
corta su cabeza
y haz que se seque y marchite
en algún lugar secreto.
La cabeza ajada, colgada en la puerta de tu casa,
te protegerá de hechizos y venenos.

4

BERTOUL DEJÓ EL CASTILLO de Tournissan en cuanto el sol se elevó y el puente levadizo fue bajado, sin esperar a inútiles despedidas.

«¡Allá voy!», se dijo con jubilosa determinación. «Ya que una nueva vida se presenta, sería un error no aprovecharla.»

Avanzó algunos centenares de pasos, silbando confiadamente, mientras dejaba atrás todo su mundo conocido. Después se volvió hacia el castillo para llenarse con su visión una última vez. Y no vio, en la bruma que se disipaba, el lugar que había resguardado su infancia, sino una sólida y severa construcción dominada en lo sucesivo por el estandarte de los Mauchalgrin, allí donde durante tanto tiempo había ondeado el de los Tournissan. Sólo por este detalle, el castillo le resultó extraño, despojado. Consiguió dejarlo atrás casi libre de pesar.

El aire se volvió tibio, la mañana luminosa. Comenzó a tararear una cancioncilla apropiada para la marcha, y no tardó en cantarla a plena voz, contento en el fondo con las nuevas perspectivas que ante él se abrían.

El viejo mago, las señoritas que gustarían de sus canciones, su misión, la señora Hermelinda, la ruta hacia París, las aventuras que le esperaban... ¡no le faltaban pensamientos para acompañar la caminata!

No necesitó mucho tiempo para encontrarse en la linde del bosque de Francheval, coto de caza favorito, a lo largo de los siglos, de los señores de Tournissan, aunque siempre evitando algunos rincones de sospechosa reputación: un bosquecillo maléfico por aquí, un calvero embrujado por allá, y, por supuesto, el lugar hacia el que, cumpliendo la petición de doña Hermelinda, se dirigía Bertoul. Trataba el muchacho de caminar con paso firme, aunque no por ello conseguía ocultarse la aprensión que sentía. Por fin, no muy lejos del corazón mismo del bosque, en un paraje donde nadie osaba nunca aventurarse, lo vio.

El árbol de los búhos era un roble de largas ramas retorcidas, a veces bifurcadas en prolongaciones enroscadas, en cuyo tronco, grueso y nudoso, se abrían varios agujeros oscuros e inquietantes. No se oía alrededor un canto de pájaros ni se veía un triste conejo. Y en todo el entorno flotaba un olor a humus descompuesto y una atmósfera maléfica y amenazadora.

No sin recelo, Bertoul dio una vuelta completa, buscando con la mirada un escondrijo lo bastante grande como para albergar un libro, y lo bastante accesible como para que una anciana torturada por el reúma hubiese podido alcanzarlo sin problema. Claro que… si doña Hermelinda era un poco bruja, ¿acaso no podía haberse elevado en el aire cabalgando sobre una escoba?

Bertoul dejó en el suelo la capa y el zurrón. Luego se acercó con precaución a un primer hueco, puso las manos en la corteza del borde y estiró la cabeza para echar una ojeada. A primera vista, no había peligro. Reteniendo el aliento, introdujo el brazo tan lejos como le fue posible. Su mano encontró hojas podridas y algunas plumas abandonadas. Nada más.

«Bien, pasemos al siguiente.»

El segundo agujero era menos profundo que el anterior y pudo descartarlo con un rápido vistazo.

—¡Bueno, sigamos buscando! —dijo casi en un grito, simplemente para oír el sonido de una voz, aunque fuera la suya, en medio de aquel absoluto silencio.

Con los brazos separados para mantener el equilibrio, comenzó a subir con precaución por una larga rama que casi rozaba el suelo. Llegó así hasta un saliente del tronco. El hueco que se divisaba allí era como un gran pozo, negro y profundo, que parecía penetrar en las entrañas de la tierra.

«En un sitio así podría vivir el diablo», pensó mientras trataba de vislumbrar aquella especie de caverna vertical.

Había algo sobre una especie de reborde. Hundió el brazo todo lo que pudo y consiguió tocar un envoltorio de tela espesa. Tenía que ser, necesariamente, lo que estaba buscando.

Tendido a horcajadas sobre una rama más gruesa, había apretado las piernas y estirado los dos brazos para agarrar el libro, cuando algo voló sobre él y le rozó la mejilla.

A punto estuvo de dejar caer su botín hasta el mismo fondo del árbol hueco. Un búho, al que no había oído llegar, era el causante. El pájaro le había tocado con el extremo del ala, y ahora planeaba en círculo sobre él. Bertoul levantó los ojos. Dos búhos más estaban posados en una rama cercana y le observaban con fijeza.

«¡Estos asquerosos bichos nunca hacen el menor ruido! ¡Son criaturas del demonio! Y vienen a por mí…»

El corazón de Bertoul comenzó a latir enloquecidamente.

Como todo el mundo sabe, es por la noche cuando salen los búhos y se ponen a ulular hasta helarte la sangre. ¿Por qué estaban despiertos? ¿Eran acaso los guardianes del manuscrito?

Sin dejar de renegar, Bertoul se dio prisa en sacar el libro y lo estrujó contra su pecho. Ahora debía sujetarse bien sobre la rama. El búho seguía girando lentamente a su alrededor, pero no parecía mostrarse amenazador.

Un vivo recuerdo le vino de pronto: el de doña Hermelinda, en su lecho de muerte, susurrándole: «Los búhos no te harán ningún daño, más bien al contrario». Luego había insistido, repitiendo *muy al contrario*.

¿Por qué había dicho eso? Ella debía conocer bien sus poderes... Bertoul se vio asaltado por un tropel de preguntas, la principal de las cuales era, una vez más, si la había conocido tan bien como él creía.

Los otros dos pájaros parecían montar la guardia y vigilaban con sus peculiares y casi imposibles giros de cabeza.

Con el pensamiento lleno de interrogantes, Bertoul comenzó a bajar del árbol llevando siempre el envoltorio firmemente asido, y saltó por fin sobre un lecho de hojas muertas al pie del tortuoso roble. Cuando, no sin inquietud, levantó los ojos hacia la espesura, fue para comprobar que los búhos habían desaparecido. Sin el menor ruido.

Más tranquilo, se sentó entre dos raíces y colocó el pesado paquete sobre sus rodillas. Debía verificar que se trataba en efecto del manuscrito del rubí.

Le temblaban las manos cuando trató de desplegar aquella tela parda, antes de percatarse de que estaba cosida. Rompió la costura con la punta de su cuchillo y separó la tela. Bajo esta protección, había otra, de lana negra, igualmente cosida. Y otra después, de lino blanco. Y otra más, la cuarta, que le asombró, pues la formaba un tejido que jamás había visto. Era suave y resbaladizo, brillante, rojo como la amapola, y estaba entretejido con hilos de oro que dibujaban una figura a la vez geométrica y vegetal, en la que se repetían hojas, flores y tallos.

Durante largo rato, casi sin respirar, estuvo admirando aquel brocado. Luego lo acarició con la yema de los dedos, antes de comenzar a desplegarlo.

Finalmente, tuvo el libro ante sus ojos. Con su palmo y medio de altura y otro tanto de ancho, y sus más de cuatro dedos de grosor, era una verdadera maravilla. El corazón de Bertoul volvió a latir con fuerza. Nunca había tenido entre sus manos un objeto tan bello y tan valioso. La cubierta era de madera revestida de cuero repujado. Tenía, estampados en oro, unos extraños signos. Y letras desconocidas, y dibujos que representaban a los astros: estrellas, luna, sol. También había animales que él no había visto jamás. Y justo en la mitad sobresalía una piedra roja sólidamente engastada en un anillo de oro. La piedra era ovalada, casi del tamaño de un huevo, de un rojo encendido completamente transparente.

¿Cuánto tiempo permaneció allí, sentado entre las raíces del roble, contemplando la cubierta del manuscrito del mago Magnus? ¿Apenas unos instantes? ¿Un lapso muy largo? No hubiera podido decirlo…

Tocó el libro con la yema del dedo, sin abrirlo. Las páginas estaban formadas por pergaminos cuidadosamente cortados y cosidos. Páginas que contenían, con seguridad, fórmulas misteriosas, quizá maléficas, que no le estaban destinadas.

Doña Hermelinda insinuó haber ensayado alguna, «siempre buscando el bien», sobre ciertas personas allegadas: ¿formaría él parte de ellas? Seguramente no, pues no era en nada diferente a los otros muchachos de su edad. En ningún caso podía desplazarse por el aire, ni conocía las virtudes de las plantas, ni sabía nada de los secretos del porvenir, empezando por el suyo propio. En realidad, ni siquiera sabía si lograría comer algo al día siguiente.

Hipnotizado por la cubierta y la piedra roja, observó que su dedo se deslizaba entre dos páginas, como si no pudiera resistirse a la voluntad del libro de ser abierto.

Tras él, de pronto, crujió una rama del roble. Bertoul se sobresaltó y retiró con rapidez el índice que se había aventurado entre dos páginas. Recordó entonces que una página sí le estaba expresamente reservada: la última. Doña Hermelinda se lo había dicho. Podría abrirla, pues. Tenía todo el derecho.

Con gesto decidido dio la vuelta al libro, el rubí quedó ahora sobre sus rodillas, y abrió la última página.

Algunas palabras de escritura angulosa se apretaban sobre el amarillento pergamino: «*Para llevar a efecto si el escribano público Magnus Gurhaval no está ya en este mundo…*».

Las instrucciones que había dejado doña Hermelinda de Tournissan cubrían con su apretada escritura las dos páginas que, un instante después, tuvo abiertas ante sí.

La rama del roble crujió de nuevo, vagamente amenazadora. Bertoul cerró con precipitación la pesada cubierta. El árbol volvió a estar silencioso, sin el menor susurro.

—Este árbol debe de estar embrujado, o quizá sea el libro. Quién sabe. Leer estas páginas si el mago no ha muerto podría traerme alguna desgracia.

Todavía con el libro sobre las rodillas, Bertoul puso sus dos manos sobre la cubierta y se esforzó en detener el temblor que le sacudía de pies a cabeza. Poco a poco se fue calmando y su respiración se hizo más serena. Aunque su cabeza seguía dando vueltas…

—Espero de todo corazón —dijo en voz alta, tratando de conjurar el profundo silencio— que ese hombre esté vivo, que pueda devolverle su manuscrito lo antes posible, y que obtenga así su perdón para mi señora. Una vez que haya cumplido la misión, empezaré a buscarme la vida.

Su voz se hizo algo más ligera conforme comenzaba a imaginar su futuro.

—Seré un gran músico, bien recibido en cualquier castillo. He oído decir que hay damas y señoritas que se enamoran de los trovadores. Quizá tenga yo esa suerte, quién sabe...

Bertoul dejó escapar una sonrisa al pensar en los encantos femeninos. Ilusionarse con todas aquellas jóvenes futuras era mucho más agradable que preguntarse sobre la maldición que el manuscrito pudiera acarrearle. O que preocuparse por la ruta a seguir o por lo que comería en el camino.

La inquietud le había abandonado y el corazón le latía con normalidad. Aquel manuscrito no era sino un libro como cualquier otro, un simple conjunto de madera, metal, pergamino y tinta. Lo único que tenía que hacer era llegar a París y librarse de él cuanto antes.

Después de envolverlo en sus cuatro telas, guardó el libro en su zurrón, entre el tamboril y el rabel; luego, con su cuchillo, cortó una rama para hacerse un bastón y comenzó a alejarse del siniestro árbol.

Caminaba en línea recta, con paso vivo, casi a saltos, esperando encontrar pronto alguna persona que le informara sobre la ruta de París para cumplir cuanto antes su misión.

Entretanto, los búhos habían regresado a las ramas y miraban atentamente su partida. Algo debió de sentir Bertoul porque se giró de repente: una docena de esos extraños pájaros tenían fijos en él sus grandes ojos dorados.

Impresionado, avivó aún más el paso.

Un ulular persistente, insólito en plena mañana, le acompañó durante un buen trecho.

⟨SORTILEGIO⟩
para correr muy veloz

Mata un lobo joven,
arráncale la piel,
haz con ella, para tu uso, dos jarreteras o ligas
en las cuales escribirás con tu sangre
estas palabras mágicas:
'Abumaleth cados'.
Y podrás desafiar en una carrera
a los caballos favoritos de las mejores cuadras.

5

Voy a ordenar que os cuelguen a todos! ¡Encontrad lo que busco o iréis a la horca!

En la estancia que había sido dormitorio de doña Hermelinda de Tournissan, una docena de baúles abiertos habían esparcido sobre el suelo enlosado una enorme pila de trajes y tejidos de todas clases. La tapicería había sido arrancada, y el desorden de colchones, mantas y edredones revelaba el armazón de madera de la cama. Varias jarras y escudillas yacían rotas por el suelo.

El delicado bufete de madera esculpida en el que doña Hermelinda gustaba escribir había sido destripado. Borrones de tinta negra manchaban los pergaminos en los que había trabajado antes de morir. El tintero de cuerno, volcado, había arruinado sin remedio una alfombra de piel de lobo que Raoulet de Mauchalgrin pisoteaba en pleno ataque de furia.

En un rincón, dos sirvientas y un criado temblaban ante su nuevo amo, quien había comenzado a dictar su ley en el castillo mientras su padre, el barón Raoul, visitaba sus nuevas tierras.

—¡Decidme dónde está! —volvió a gritar Raoulet.

—Pero, mi señor —articuló penosamente Florie, una de las dos sirvientas—, nosotros no hemos visto nunca eso que buscáis.

—Ni siquiera habíamos oído hablar de ello —confirmó Doette, la otra sirvienta, con voz temerosa.

—Tiene que perdonarnos, mi señor —añadió Denisot, el criado—, pero el único libro con el que veíamos a la señora Hermelinda era el devocionario, durante las oraciones.

Y señaló al mencionado libro que yacía, despedazado, en medio del estropicio.

—¡Pamplinas! —chilló Raoulet—. ¡Me estáis mintiendo! ¡Todos!

—Mi señor, lo digo con todo el respeto que os debemos, no os estamos mintiendo. Desconocemos todo eso de lo que nos estáis hablando.

—Yo lo he visto, sin embargo. Lo he visto aquí mismo. ¡Ella me lo enseñó! ¡No puede estar lejos!

Y Raoulet, rabioso, se puso a echar abajo los pocos muebles que aún quedaban en pie. Una copa rodó sobre las losas con ruido metálico, mientras otras vasijas más frágiles se rompían con estrépito.

Raoulet recogió la copa y la observó un instante.

—Puafff… Sólo es plata repujada. Ni una sola incrustación de piedras —dijo con desprecio.

Y la arrojó contra la pared, abollándola. Luego, como queriendo rectificar, volvió a recogerla y esta vez la lanzó por la abertura que servía de ventana. La copa fue a aplastarse contra el patio.

—¿Me lo vais a decir ahora? ¿O queréis seguir el camino de la copa? Griffon, ven aquí…

La puerta se abrió y un individuo corpulento, inmenso, velludo, vestido de cuero, hizo su aparición. A continuación, el gigante cerró la puerta y quedó apoyado en ella, cruzado de brazos.

—Ven aquí —repitió Raoulet.

El coloso se acercó con pasos firmes y pesados.

—Os voy a presentar a Griffon le Réchin —dijo entonces Raoulet en un tono afectado—, el hombre que mi padre ha puesto a mi servicio para que me proteja y cumpla todas mis órdenes.

Raoulet adoptó un aire pensativo, como si tuviera una decisión importante que tomar.

—¿Tendré que ordenarle que te arroje por la ventana? —le dijo a Florie, la más débil de las sirvientas.

—¡No, piedad, mi señor! —suplicó ella arrojándose a sus pies.

—¿O bien debo disponer que te baje a los sótanos? —prosiguió Raoulet dirigiéndose esta vez a Denisot—. Hay allí un pequeño cuarto donde podría torturarte sin hacer mucho ruido.

—Pe… pero… no, no quiero ser torturado —balbuceó Denisot.

—Entonces le tocará a ella —dijo Raoulet señalando a Doette.

Lo que provocó que Doette se arrojara igualmente a los pies del joven amo.

Aquellas personas sencillas, que siempre habían servido a una dama bondadosa, no podían entender semejante violencia, nueva para ellas. Sus ojos giraban asustados y sus manos se retorcían de angustia.

—Vosotros tres erais los sirvientes más cercanos a ella, a quienes ella siempre acudía —pronunció lentamente Raoulet, como si de pronto estuviera haciendo gala de una infinita paciencia—. Así pues, resulta imposible que no hayáis podido ver un libro de ese tamaño…

—Perdónenos, mi señor, pero nunca hemos visto algo semejante —dijo valientemente Denisot.

—Yo lo vi. ¡Con mis propios ojos! En esta misma habitación. ¡Y lo necesito! ¡Lo quiero en mi poder!

Un día —hacía de eso unos tres o cuatro años—, Raoulet, que estaba de visita con su padre en Tournissan, fue llamado por Hermelinda, quien le hizo una extraña pregunta:

—¿Sabes leer, querido sobrino?

«¿Leer?», se había extrañado entonces Raoulet. «¿Y de qué sirve saber leer?»

Él sabía cómo pelear con toda clase de artimañas, cómo montar a caballo y cómo imponer su voluntad y su desprecio a los jóvenes nobles de menor rango, a los plebeyos y a los criados; él sabía echar a perder el trabajo de los demás, el de los campesinos cuando cabalgaba por los campos sembrados, y el de los artesanos cuando echaba abajo sus tenderetes o destrozaba sus artículos a latigazos. ¡Esa era la vida de un auténtico caballero! Pero saber leer… ¿De qué valía saber leer? Sin embargo, también sabía que frente a su tía abuela era conveniente mostrar cierta buena voluntad.

—Bueno, sé descifrar algunas letras —fue su malhumorada respuesta.

—Oh, eso no será suficiente —había constatado doña Hermelinda con tono contrariado.

—¿No será suficiente para qué? —preguntó Raoulet.

—Para esto, que debe ser entregado a una persona de confianza.

Por aquel entonces, doña Hermelinda aún se hacía ilusiones acerca de la valía de su sobrino segundo. Por eso le había mostrado el libro, abierto de par en par sobre el atril esculpido. Raoulet se fijó en los signos negros y los pequeños dibujos.

—Estas son letras —había dicho el muchacho con tonto orgullo.

—En efecto —le confirmó la anciana dama—. Y estas son fórmulas… hum… fórmulas secretas… pero si no sabes leer…

¿Fórmulas secretas? Los ojos de Raoulet se iluminaron entonces con un resplandor de codicia. Seguramente se trataba de magia. Eso no sería extraño en la vieja. Fórmulas mágicas con las que él podría conseguir todo el oro que quisiera, y librarse de sus enemigos, e imponer su voluntad a todo el mundo, con más eficacia aún que con la natural autoridad que le concedía su nobleza. ¡Menuda ganga!

—¿Leer? Puedo aprender, mi querida tía.

—Ya veremos —dijo entonces la señora de Tournissan al tiempo que cerraba el volumen.

Fue en ese momento cuando Raoulet pudo apreciar la hermosa cubierta, con sus signos dorados, sus preciosos ornamentos y, sobre todo, su enorme rubí. «¡Doble ganancia», pensó en aquel instante, «fórmulas mágicas y una piedra preciosa de incalculable valor!»

—No le hables a nadie de lo que te acabo de enseñar —le había recomendado Hermelinda.

¡Naturalmente que no le hablaría a nadie! ¡Una mina como esa! Ni siquiera su padre sabría nunca nada. Ambicioso como era, el barón Raoul no tardaría en apoderarse del libro. No, nada de eso. Él, Raoulet, sabría darle mejor uso. Para empezar, encontraría un hechizo que le permitiera deshacerse de su padre de la forma más conveniente.

—Aprende a leer y luego ven a verme —le había ordenado la vieja dama.

Pero Raoulet nunca había aprendido. En su opinión, era una estúpida pérdida de tiempo. Si había que leer algo, bastaba con ordenárselo a cualquier clérigo*.

Desgraciadamente, la señora nunca más volvió a enseñarle el libro, frustrando así la impaciencia que sentía por verlo, por tocarlo, por apropiarse de él.

---

* Los clérigos, y los religiosos en general, formaban parte de las raras profesiones en las que sistemáticamente se aprendía a leer.

—Aprende a leer primero —le insistía, inflexible, la anciana.

Y a Raoulet le consumía la impaciencia. Un día u otro aquel manuscrito tenía que ser suyo.

Y así llegó el momento presente, cuando, a punto de tener que viajar hasta el castillo de Fougeray para entrar a su servicio, le era absolutamente necesario encontrar aquel libro prodigioso.

—¿A quién más recibía la señora en esta habitación? —preguntó a la infeliz Doette, agarrándola brutalmente por el brazo.

—Pues… a mucha gente, mi señor… A nosotros tres, claro está, y también a otros servidores y criados, según cual fuera el motivo. A señoritas de los castillos vecinos, a las que enseñaba a bordar de la forma tan maravillosa que ella sabía. A caballeros que le rendían visita. Y a otras gentes que conocía: su antiguo músico, Jacquemin-Loriot, que venía a cantar y a recitar para ella…

—¿Dónde está ese Jacquemin-Loriot?

—Oh, mi señor, murió el invierno pasado, el pobre.

—¡Di mejor el afortunado! Porque si lo tuviera ahora entre las manos…

De pronto, una idea comenzó a cobrar forma lentamente en la mente del joven Raoulet. Una idea que reptaba por los meandros tortuosos de su cerebro, pero que se escapaba cuando parecía estar más cerca. Y es que, vagamente, había empezado a recordar algo. O, mejor dicho, a alguien. Exasperado por no poder concretarlo, rechazó con un fuerte empujón a Doette, que cayó al suelo con violencia.

—El músico… —comenzó a decir Raoulet, mientras la sirvienta se levantaba con dificultad.

—Ella mandó que lo enterraran junto a la iglesia…

—No se trata de eso. Es otra cosa, a propósito de músicas…

Los tres sirvientes se miraron entre sí. Había una especie de alerta en sus ojos. Por desgracia, Raoulet se percató de ello.

—¿Qué tenéis que decirme? —preguntó.

—Nada, nada en absoluto, mi señor… —farfullaron los tres al mismo tiempo.

—Griffon, acércate…

Raoulet señaló al criado con el dedo. Griffon agarró con su enorme mano el brazo de Denisot y comenzó a retorcérselo.

—¡Aaahhh! —gritó el pobre hombre.

—Y bien…, ¿quieres que Griffon utilice realmente algo de su fuerza?

El criado gemía y suplicaba, incapaz de aguantar el dolor. Florie dirigió una mirada de inteligencia a Doette, y otra llena de compasión al torturado Denisot.

—Ya debe de estar lejos —le susurró en voz baja a su compañera—. No creo que corra ningún riesgo.

—¿Qué es lo que estás murmurando, muchacha?

—Tenga piedad del pobre Denisot, mi señor, y os lo diré…

Con un simple gesto, Raoulet hizo que su hombre de confianza soltara a su presa. Denisot se enderezó exhalando un suspiro de alivio mientras frotaba la zona dolorida.

—Te escucho.

—Estaba también el alumno de Jacquemin-Loriot. Pero, mi señor, vuestro padre lo ha expulsado del castillo.

—Ese mozo insolente… —recordó Raoulet con aversión—. ¿Le habrá dado el libro a él, la vieja ramera? Seguro que sí, siempre estaba echado a sus pies. ¿Cómo no me habré dado cuenta antes? Vosotros tres habéis estado confundiéndome a propósito, y os aseguro que no me voy a olvidar de esto. Pero ahora hay algo más urgente: ese musiquillo. Lo voy a atrapar, podéis creerme. ¿Dónde ha ido? ¿Cómo se llama? Decídmelo o si no…

—Se llama Bertoul —dijo Denisot—. Pero no sabemos dónde ha ido…

—¿Cuánto tiempo hace que se fue?

—Hace dos días, siguiendo las órdenes de vuestro padre —respondió débilmente Florie.

—¿Qué has dicho? Habla más fuerte.

—Hace dos días —repitió Florie con voz apenas más firme.

—Estoy seguro de que sabéis a dónde ha ido. Griffon, ahora vas a apretar fuerte…

Tomado por sorpresa, Denisot aulló de dolor cuando el gigante le estrujó el brazo agarrándole justo por el lugar dolorido.

—No… no, mi señor… —se derrumbó Doette—. Yo sé algo de Bertoul…

—Vaya, vaya, por fin nos decidimos a hablar. ¿Y qué es eso que sabes y que acabas de recordar tan de repente?

—Bertoul… preguntó si alguien sabía la ruta para ir a París.

—¿A París? ¿De verdad? Puedes aflojar, Griffon.

En el límite de su resistencia, Denisot cayó al suelo, donde fue atendido por las dos mujeres. Pero Raoulet no tardó en detener aquellos gestos de compasión.

—Vosotras dos, arreglad ahora mismo este desorden. Que todo quede impecable o seréis castigadas, no puedo soportar una habitación tan desastrosa. En cuanto a ese Bertoul, ese maldito musiquillo, está claro que ha sido él quien ha robado el libro. Sí, me acuerdo bien de su aire insolente. Cuando lo atrape y le obligue a entregarme el manuscrito, y para que nunca pueda servirse de lo que haya podido ver, haré que le saquen los ojos.

Muy satisfecho de su idea, el cruel señor se echó a reír a carcajadas, acompañado por la voz profunda de su brutal criado.

—Sí, le sacaré los ojos…

⟡SORTILEGIO⟡
para no estar borracho

Prepara
una tortilla
con huevos de búho.
La borrachera desaparecerá
tan pronto te la hayas comido.

6

U NA VEZ MÁS, el zurrón se le volvió a escurrir. Bertoul lo acomodó con un movimiento del hombro. Era a causa del libro, sin duda alguna, pues la flauta no pesaba nada, el tamboril
apenas y el rabel no demasiado.

Hacía ya cuatro días que caminaba. Avanzaba al azar, sin
método, guiándose vagamente por el sol, y a la espera de hallar
una abadía o un castillo donde algún clérigo pudiera informarle
sobre el camino de París. No tenía costumbre de recorrer largas
distancias y comenzaba a darse cuenta. Le dolían las piernas y
la espalda, sus pies estaban cubiertos de ampollas, el zurrón le pesaba horriblemente y, para colmo, ya no le quedaban provisiones. Había pasado por campos, pueblos y aldeas cuyos habitantes, según le parecía, se habían divertido extraviándolo más
aún. Quizá no por malicia, sino porque —al igual que él— jamás
habían rebasado los límites de su territorio y les tenía sin cuidado ponerle o no en el buen camino.

Recordaba algunas historias que hablaban de bosques encantados de los que jamás se podía salir y en los que uno se perdía
irremediablemente. Pensó que podía ocurrirle otro tanto y estuvo a punto de sucumbir al pánico.

Bosques, campos y prados que se sucedían unos a otros, algunos pueblos miserables, ríos que no podía cruzar y que había

recorrido en busca de un vado... Más campos y más bosques...
¿Cómo orientarse? No lo sabía... Y luego estaba el hambre, que
hacía el camino aún más largo...

Los campesinos que encontraba no eran nada partidarios de
compartir su sopa de nabos y su tocino. Y en los bosques y en
las lindes no era posible encontrar la menor avellana —demasiado tarde para eso— o la menor frambuesa —demasiado
pronto—. Era todavía el mes de abril. Bien es cierto que había recibido la caridad de una corteza de pan aquí y otra allá, e incluso, en una ocasión, de una sopa aguada, pero nada en definitiva
con que llenar el agujero de sus tripas, nada que le pudiera dar
energía para caminar a buen paso y le permitiera recobrar un poco de ánimo.

En Tournissan estaba el castillo, rodeado de algunos pueblos; más lejos, según siempre había creído, había campos, bosques, el horizonte, otros castillos, la capital del condado y, un poco más lejos, París, residencia de los reyes. ¿Cómo iba a pensar
que eran necesarios más de dos o tres días de marcha para recorrer el reino, si jamás hasta entonces había salido de los dominios
de doña Hermelinda?

París, ahora se daba cuenta, estaba mucho más lejos de lo
que nunca hubiera imaginado. El mundo era demasiado exten-
so y él se sentía perdido en medio de tanta inmensidad y de un
paisaje tan monótono.

Tournissan y los Mauchalgrin, padre e hijo, habían quedado
tras él, suficientemente lejos. Pero no tenía medio de saber si París estaba ahora más cerca. Esperaba, en su desordenada anda-
dura, toparse con algún castillo. Un castillo acogedor donde poder tocar un poco de música y ganarse el sustento, y donde hallar
por fin a un clérigo que le indicara el camino. Sabía que los

clérigos eran sabios. Mucho más que los nobles señores que, más allá de sus caballos, sus espadas y sus lamentables inclinaciones guerreras, no sabían nada de nada.

Atenazado por el hambre, se resignó a mordisquear el último pedazo de queso que le regalara la señora Gauberte. Se resistía, de momento, a mermar su pequeño botín de monedas de plata a cambio de una hogaza de pan o un guiso de legumbres.

¡Todo iba antes tan bien! ¡Y todo comenzó a ir tan mal con la enfermedad de doña Hermelinda!

Su señora... Bertoul la recordaba continuamente. ¡Habían surgido tantos enigmas en torno a ella! ¿Una ladrona? ¿Una bruja? No era posible... Aunque... ¿no lo sabía casi todo acerca de las plantas? Sin embargo... ¿qué noble dama no las conocía, aunque fuera sólo para curar a sus servidores y campesinos?

Y sus cofres, siempre cuidadosamente cerrados. ¿Contenían otros recetarios mágicos? ¿Frascos con productos extraños? ¿Polvos misteriosos? En cuanto a sus visitas a la señora Ysabeau, al castillo de Jarzelle, ¿no coincidían siempre con la luna llena? ¿Tenían como objeto participar en horripilantes ceremonias?

A Bertoul no le gustaba esa idea. ¿Se habría consagrado a una hechicera? No, imposible. Hermelinda de Tournissan era vieja, flaca, arrugada, misteriosa y sabia, pero de eso a ser una bruja... No obstante, según su propia confesión, había robado aquel libro a un mago, e incluso había practicado algunos sortilegios, quien sabe si abominables...

«¡Ya está bien!», se dijo, atormentado por tantas preguntas sin respuesta. «Lo mejor que puedo hacer es entregar este manuscrito y no volver a pensar nunca más en él.»

Comenzó a bordear un campo, dejando a su derecha un espeso bosque. Era tiempo de ir pensando ya en ponerse a cubierto bajo los árboles para dormir sobre un lecho de hojas muertas o subido en alguna gruesa rama. Las zanjas resultaban demasiado húmedas en esa estación: el día anterior había despertado completamente entumecido tras dormir sobre un musgo que amaneció empapado de rocío.

Estaba a punto de dirigirse oblicuamente hacia el bosque, cuando oyó tras él el ruido de una cabalgada. ¿Aprovecharía para preguntar el camino? No, no era seguro. Prudentemente, se adentró entre los matorrales hasta quedar bien oculto.

Justo en el lugar donde había estado unos momentos antes, se detuvo una pequeña tropa formada por cuatro jinetes fuertemente armados. Parecían estar al acecho de algo.

—Era aquí mismo. No he visto visiones. Me pareció una especie de vagabundo...

—Te lo repito: debió tratarse de un animal, un ciervo o un jabalí que se ha refugiado en el bosque en cuanto nos ha oído.

—Pues yo juraría que era un chico con un saco a la espalda.

—Veamos, Guyon, el crepúsculo ya ha comenzado y hay algo de bruma, no has podido verlo bien. Seguramente era un animal.

—Tal vez, pero yo quiero seguir un poco más —dijo el obstinado Guyon—. Imaginad que sea él: nuestro señor Raoulet nos recompensaría generosamente.

Al escuchar estas palabras, Bertoul aguzó el oído mientras sentía que su sangre se congelaba. ¡Raoulet! Pocos señores llevarían ese nombre por aquellos parajes, aunque estuviera a cuatro días de marcha de Tournissan. Deseó hacerse muy pequeño, casi invisible, en la maleza donde se ocultaba. Por suerte, sus vestidos tenían el mismo color de la floresta.

—Nada de contemplaciones. Griffon nos lo dejó muy claro. El chico es peligroso, aunque tenga el aspecto inofensivo de un músico vagabundo.

¡Así que era de él de quien hablaban! Bertoul se quedó estupefacto.

—Hay que prenderlo, y prenderlo vivo. El señorito Raoulet quiere hacerle probar la picota antes de sacarle los ojos por haber robado ese valioso libro...

Bertoul sintió deseos de salir de su escondite y gritar a todos: «¡Yo no lo he robado! ¡Fue la señora quien me lo confió!». Por suerte para él, logró mantenerse quieto y con los labios sellados.

Durante ese tiempo, los cuatro hombres rieron ante la diversión que les esperaba cuando atrapasen al fugitivo, y se recreaban pensando ya en la merecida recompensa.

—Vamos, camaradas, inspeccionemos un poco ese bosque...

—¿Con la noche ya encima? ¡Estarás de broma! ¡No seré yo quien pase la noche en una espesura donde rondan los malos espíritus y las bestias feroces!

—Además, apenas es posible ver nada.

—Volvamos al último pueblo que hemos pasado... Allí podemos requisar alimentos y unos jergones para pasar la noche. Ya seguiremos la búsqueda mañana.

—Hemos rastreado toda la región. Ya no puede andar lejos.

A través del ramaje, Bertoul los vio alejarse al trote, y pudo entonces, con el corazón acelerado, respirar a fondo. ¡Ciertamente había escapado de una buena! Si no hubiese tenido la ocurrencia de ocultarse en la linde del bosque, ahora estaría preso. Tenía que dar gracias a su buena estrella.

Como no podía viajar de noche —la noche, todo el mundo lo decía, es funesta para los viajeros por el gran riesgo que corren de ser atrapados por algún espíritu, demonio o fantasma—, no tuvo otra elección que permanecer escondido en el bosque hasta que, de madrugada, pudiera regresar al camino.

Se internó, pues, en la profunda espesura, buscando un buen refugio. Lo encontró en un árbol, dos de cuyas gruesas ramas formaban una confortable horquilla. Trepó hasta ellas, y se instaló al tiempo que un ulular lejano llegaba hasta sus oídos.

«Búhos», pensó sintiendo un pequeño escalofrío.

De modo que Raoulet buscaba el manuscrito. ¿Cómo podía conocer su existencia? Bertoul dedujo que probablemente había espiado a su tía abuela, pues dudaba mucho de que la propia Hermelinda se lo hubiera enseñado. Estaba claro, en cualquier caso, que Raoulet no había tardado en buscarlo y, al no encontrarlo, en indagar acerca de su paradero hasta deducir que era él, Bertoul, el depositario.

A sus quince años, Raoulet poseía ya la arrogancia y la osadía necesarias como para enviar a los hombres de su padre a recorrer los caminos. ¿Estaría al corriente de ello Raoul de Mauchalgrin? Probablemente no.

Fuera como fuese, Bertoul debía apresurarse en llegar a París antes de que Raoulet consiguiera atraparlo. Quería robarle el libro y sacarle los ojos. Nunca había oído nada tan espantoso. Era necesario pertenecer a una estirpe de embrutecido linaje para concebir ideas tan enajenadas y crueles.

Con el anochecer comenzaron los ruidos, las carreras furtivas, los sonidos silbantes, el zumbido de los insectos. Los murciélagos andaban ya de cacería. La noche se mostraba portadora de ruido, misterio y encantamiento hasta un punto que Bertoul jamás había experimentado.

En una rama del árbol al que se había encaramado colgó su zurrón con los instrumentos de música y el libro. Luego buscó la postura más cómoda, bien envuelto en su capa, cuya lana fue enseguida cubierta por finas gotas de agua. Era la niebla. La noche iba a ser larga, húmeda y amenazadora.

«Buenas noches, Bertoul Buenrabel, músico ambulante», se deseó a sí mismo. «Mañana seguirás tu ruta, que a partir de ahora tendrá que ser clandestina. De lo contrario, tus ojos, y hasta tu vida misma, no valdrán gran cosa.»

Bertoul apenas logró dormir. Sombríos pensamientos y fugaces pesadillas poblaron su noche.

Después del amanecer, agarró su equipaje y, con suma circunspección, se dirigió hacia la linde del bosque. Algunos pasos antes de alcanzarla, se echó al suelo y, cubierto de hojas muertas, avanzó reptando, sin dejar de explorar cuanto estaba al alcance de su mirada. Ni un ruido entre los matorrales, ni un jinete perseguidor. A lo lejos vislumbró el poblado en el que los sicarios de Raoulet debían haber dormido, todavía sumido en la bruma, con algunos hilillos de humo brotando de las casas.

Desde donde estaba pudo ver también a los lugareños que comenzaban la jornada de trabajo, mujeres que iban a la fuente o hilaban ante sus casas, pandillas de chiquillos que se perseguían entre risas. Ni rastro de hombres a caballo. Lo más probable es que hubieran partido al alba. Tras una última ojeada en círculo, se puso de pie y abandonó la protección de los árboles. De pronto, los vio. Estaban allí, los cuatro, tumbados en los surcos de un sembrado, nada preocupados de estar aplastando los brotes tiernos. ¿Le habrían visto ellos a su vez? Bertoul retrocedió precipitadamente y estuvo a punto de tropezar con una raíz.

Oyó entonces un grito triunfal:

—¡Allí hay alguien! ¡Ya os lo había dicho!

Nada más verlo, los cuatro hombres se pusieron en pie.

¡Qué necio e imprudente había sido dejándose ver! Pero ¿cómo iba a adivinarlo? Él esperaba ver unos jinetes. ¿Dónde habían ocultado los caballos?

A todo correr, volvió a penetrar en la floresta. Tras él podía oír los pasos pesados de sus perseguidores y el metálico tintineo de sus armas.

Tenía que adentrarse lo más profundamente posible... No darse la vuelta en ningún caso... Correr, saltar, escabullirse, acumular obstáculos entre ellos y él. Por suerte, era rápido y ligero, pese al lastre del zurrón. Y mal podrían aquellos toscos soldados salvar los troncos de árboles caídos a tierra, abrirse camino entre las zarzas, evitar los pozos llenos de fango, esquivar las raíces. Tenía que distanciarse. No podía dejarse atrapar.

Pronto se dio cuenta, sin embargo, de que su ventaja no era la esperada; el ruido de los cazadores le llegaba con claridad, y también sus gritos de entusiasmo:

—¡Mirad! ¡Por ahí va!

—¡Sí! ¡Ya es nuestro!

Deprisa, deprisa, necesitaba una idea. Si no hubiese perdido el bastón en la carrera... Si pudiera escapar a su vista aunque sólo fuera por unos instantes... Había corrido, saltado, esquivado obstáculos sin parar y, a pesar de ello, cada vez los tenía más cerca. Y tan frescos... ¡Decididamente, estaban mejor preparados y eran mucho más ágiles de lo que había creído! ¿O era él quien no estaba verdaderamente en forma?

Bertoul lanzó una rápida ojeada a su espalda. Le pareció que no eran más que tres. ¿Había conseguido librarse de uno de ellos? Daba igual. Los que quedaban parecían correr sin esfuerzo. Comenzó a temer de veras por sus ojos... y por todo su pellejo. Más allá, a unos cien pasos, a la derecha, había un árbol lo suficientemente grueso como para intentar ocultarse detrás, quizá podría trepar por él y perderse de vista entre el ramaje. No lo pensó dos veces y se precipitó hacia el árbol, un roble, lo rodeó y se quedó aplastado contra el tronco.

—¿Por dónde ha ido? Ahora no lo veo.

—Bah, no puede andar lejos, bastará con que demos una pequeña batida.

—Y no olvidéis mirar hacia arriba, a las ramas.

Los tres hombres no parecían preocupados por haberlo perdido de vista, sabían que sólo era cuestión de rastrear aquella zona del bosque sin dejar un resquicio.

—Por ahí llega Huart con los caballos. Nos vendrá bien su ayuda...

Estaba aclarado, pues, el misterio del cuarto hombre: había ido a recuperar las monturas. Un segundo más tarde, eran cuatro los enemigos que Bertoul tenía pisándole los talones.

Sin despegarse un centímetro del roble, levantó la cabeza. Las primeras ramas estaban demasiado altas como para poder alcanzarlas. Echó una mirada desesperada a su alrededor. Apenas vio unos helechos que no le ocultarían por mucho tiempo. ¡Si el roble pudiera abrirse en dos y esconderle en su interior! ¡Y pensar que quizá en el manuscrito se hallaba la fórmula mágica para escapar de unos feroces perseguidores! O quien sabe si para hacerse invisible... O, más sencillamente, para recuperar el valor...

Los cuatro matones batían metódicamente la maleza con el extremo de sus lanzas. En pocos instantes se le echarían encima. Bertoul retrocedió lentamente, moviéndose entre las enormes raíces del roble. Súbitamente, sintió que el suelo se hundía bajo sus pies. ¿Acaso bastaba con expresar un deseo para ser atendido? Una grieta se había abierto entre las raíces del gran árbol. Y él cayó de espaldas en el agujero.

☙SORTILEGIO
para enamorar a alguien

Tendrás que servirte de esa hierba
llamada helenio.
Para ello habrás de recogerla en ayunas,
durante la noche de San Juan,
en el mes de junio, antes de que amanezca.
Déjala luego secar y redúcela a polvo mezclada con ámbar gris,
y, después de llevarla nueve días sobre tu corazón,
trata de que la ingiera aquella persona
por la que deseas ser amado, y tal efecto se producirá.
Un corazón de golondrina,
de paloma, o de gorrión,
mezclado con la propia sangre
de la persona que desea ser amada,
tiene el mismo efecto.

7

MÍRAME BIEN, estúpido cretino! Tú no eres el dueño de este castillo, ni de estas tierras. Y si alguien aquí puede enviar soldados a una misión, ese alguien soy yo. Si alguien puede aterrorizar a mis gentes, ese alguien soy yo. Y si alguien puede proferir amenazas, ese alguien también soy yo. ¿Ha quedado claro?

El barón de Mauchalgrin tenía agarrado a su hijo por la delantera de su jubón y lo zarandeaba furiosamente.

«Sigue humillándome, que algún día, querido padre, haré que te tragues todas tus palabras, y será antes de lo que crees», pensaba Raoulet, aunque lo que dijo fue:

—Yo... yo creí que obraba bien.

Raoul de Mauchalgrin propinó un empujón a su hijo, que lo hizo caer patas arriba, por suerte para él sobre un montón de almohadones.

—Espera primero a ser caballero —dijo Raoul con un tono algo más calmado—. Ser un señor es algo que se aprende, igual que a utilizar las amenazas y las presiones con inteligencia. Como yo lo hago.

—Sí, padre —admitió Raoulet.

—Es necesario mostrarse duro y sin piedad —siguió aleccionando Raoul—, pero nunca sin razón.

Raoulet bajó los ojos. No era plan revelar a su noble padre la buena razón que tenía para haber actuado así. Bertoul seguía ilocalizable y, lo que era peor, el libro también. Las patrullas enviadas habían vuelto con las manos vacías, a falta tan sólo de la comandada por Guyon.

—Sí, padre —repitió, dócil, Raoulet—. Quisiera pediros humildemente que me enseñárais todo eso que tan bien hacéis. En qué casos amenazar y en qué casos castigar. Cuándo emplear el calabozo y cuándo el verdugo, en fin, todo eso...

—Ya lo aprenderás a su debido tiempo —gruñó el barón—. De momento, no sirves para nada. Nunca has sujetado bien una espada, apenas sabes pelear si no es de forma atropellada, no reflexionas jamás, no prevés nunca las consecuencias de las decisiones que tomas o de los actos que realizas. Como ves, aún tienes mucha tarea por delante.

¡Menudo vapuleo! ¡Y qué dulce sería el tiempo de la venganza!

—Aprenderé de buena gana, padre. Si es necesario, aprenderé incluso a leer.

—Tampoco hay que exagerar —dijo Raoul con un risueño tono de extrañeza—. ¡Leer! ¿Qué ibas a ganar con eso? Eso es cosa de monjes y de holgazanes, pero nada más. Aprende cuanto antes a manejar la espada y la lanza, a servir a tu señor y padrino de armas, a ser galante con las mujeres. Aprende todo eso durante tres o cuatro años y después organizaremos una bonita ceremonia para tu investidura.

—Gracias, padre. Ya estoy ansioso por empezar —dijo Raoulet, hincando sumisamente una rodilla en tierra.

Pero ni su actitud ni sus palabras parecían demasiado sinceras. Raoul de Mauchalgrin frunció una ceja, una sola, al tiempo que elevaba la otra a considerable altura, gesto que le confería un aspecto inquietante, casi diabólico, que tan bien sabía emplear para impresionar a sus interlocutores y para asustar a los labriegos.

—¡Pues cumple con tu deber! —dijo con una especie de ladrido—. Mañana mismo partirás hacia Fougeray. Griffon te acompañará como protector y sirviente durante todo tu aprendizaje.

—¡Oh, ya me sirve con total entrega! —observó Raoulet.

—Ahora puedes levantarte.

Raoulet se puso en pie frotándose la rodilla. Pocas cosas le gustaban menos que tener que humillarse.

—Escúchame, hijo mío —dijo el barón—. Soy consciente de lo que vales y, por mucho que me pese reconocerlo, estoy convencido de que no es gran cosa.

—¿Por qué decís eso, padre? —dijo Raoulet adoptando un tono escandalizado.

—Pero a fin de cuentas eres mi hijo, y heredarás todas mis posesiones si antes no vuelvo a casarme para tener más descendencia...

«No faltaría más que eso», pensó Raoulet. «Hermanastros que me robaran la herencia, hermanastras a las que habría que dar una dote... Ah, no, mi padre no puede volver a casarse...»

Pero el barón proseguía su discurso:

—...Haré de ti un caballero todo lo cabal que sea posible, teniendo en cuenta tu... hum... tu mediocridad. Creo, además, que hay en ti un fondo de impostura y falsedad, bien lo sabes. Me sabe mal decirlo, porque eres mi hijo, pero así es como lo pienso. El defecto te viene de tu madre probablemente. Los Soilly nunca fueron una gente sana. En fin, paz a sus cenizas, ella murió hace ya mucho tiempo. Sea como fuere, no te portes nunca como un truhán con Griffon, pues me es muy valioso.

«No hay peligro, también es muy valioso para mí, y yo sé atender a mis intereses...», pensó Raoulet.

—El señor de Fougeray hará que entre el espíritu de la caballería en tu cuerpo cueste lo que cueste —gruñó el barón—. Partirás mañana, así que puedes ir a preparar tus asuntos.

—Bien, padre.

Raoulet hizo un último saludo y abandonó con andar estirado la alta estancia del torreón en la que había tenido lugar este altercado. Felizmente para él, sin testigos.

—Ven acá, Griffon.

El matón, que aguardaba tras la puerta del torreón, se separó de la pared y siguió los pasos de Raoulet.

—¿Me eres verdaderamente fiel?

—Mmm... —dijo Griffon le Réchin, lo que, en su lenguaje, equivalía a un sí.

—Algún día será necesario que hagas algo por mí. Algo muy importante. Pero eso será más adelante. Entre tanto, mañana mismo partiremos al alba. Haz que preparen los caballos, las armas, el equipaje, todo eso. ¡Si mi padre cree que voy a doblegarme a todo lo que quiera disponer ese señor de Fougeray...! Intentaré arreglármelas, sencillamente, para no aburrirme demasiado con todas esas historias de caballería, adiestramiento para el combate, servicio a mi padrino de armas, torneos y demás zarandajas.

—Mmm... —respondió Griffon.

—¡Y qué decir del aprendizaje de la cortesía para con las damas! ¡Ah, me reiría si no fuera tan ridículo!

—¡Ja, ja, ja! —su sicario no tuvo ese problema.

—Audouin de Fougeray es ya viejo, un auténtico caballero, rebosante de rectitud y de nobleza, por lo que parece. Casi seguro, por tanto, que también ingenuo y manejable. Bastará con hacerle creer mediante hermosas palabras que soy un paladín igual de enérgico que él. Quedará deslumbrado. Y muy pronto podré poner en marcha mis planes bajo su mismo techo. Pues espero que tú y yo tengamos mucha libertad para concluir ese maldito asunto del libro.

—Mmm... —aprobó el gigante a modo de conclusión.

Al día siguiente, Raoulet, acompañado por Griffon y escoltado por su padre y algunos soldados, llegaba a Fougeray, donde reinaba una gran agitación. Una risueña muchedumbre, animosa y excitada, en la que se mezclaban damas, jovencitas e hidalgos, todos vestidos con sus mejores galas, abarrotaba el patio del castillo al que llegaron los Mauchalgrin tras cruzar el puente levadizo.

«¿Todo esto en honor de mi llegada...?», se asombró Raoulet, irremediablemente halagado ante semejante recepción.

El señor de Fougeray, un caballero alto y enjuto, de rostro austero y barba encanecida, avanzó en su dirección y se despojó del guante para saludar y acoger a los recién llegados. Después de una breve presentación, dijo con aire divertido a Raoul de Mauchalgrin:

—Querido amigo, la instrucción de vuestro hijo no puede comenzar mejor: con un gran festejo. Vamos a una boda. Y confío en que mi nuevo aprendiz y escudero me hará el honor de agregarse a nuestro grupo.

«Así que todo esto no era para homenajear mi persona», pensó Raoulet decepcionado.

—¡Oh, bien, bien! Mi hijo apenas tiene experiencia en acontecimientos mundanos, esto le servirá para comenzar a pulirse un poco —rió Raoul de Mauchalgrin.

Mortificado por estas palabras, Raoulet sintió el rubor en su rostro, al tiempo que añadía en el débito de su padre un nuevo motivo de resentimiento. Intentó, no obstante, poner buena cara.

Audouin de Fougeray hizo extensiva a Raoul la invitación a la boda, pero el barón rehusó: tenía demasiado quehacer en sus dominios, sobre todo en los recién heredados de su tía, y prefería volver atrás sin tardanza.

—¿Tienes ropa de fiesta? —preguntó Audouin de Fougeray a Raoulet—. ¿No? Entonces haré que te la presten. Ven, Nicole, busca rápidamente un bonito atuendo para Raoulet de Mauchalgrin, mi nuevo aprendiz y escudero. Deprisa, porque nos vamos en menos de una hora. Cuando estés listo, Raoulet, comenzarás con un ejercicio de galantería, ayudando a las damas a subir a sus literas o a sus jacas.

Aturdido por tanta actividad, Raoulet siguió a la sirvienta, quien, en un santiamén, se ocupó de desembarazarlo de su casaca de cuero y sus calzas, lo hizo zambullirse en una cubeta de agua tibia, y lo disfrazó, por último, con un jubón azul oscuro ribeteado por un entorchado en rojo y oro. Todo lo cual no contribuyó precisamente a su buen humor.

«Yo no estoy aquí para disfrazarme de petimetre y divertir a las damas», gruñía para sus adentros. «Suerte la de Griffon le Réchin, que no está obligado a hacer otro tanto. Para colmo, tendré que perder mi tiempo en una estúpida fiesta de esponsales, con el asunto del libro aún sin resolver. Y ya empieza a ser urgente que lo haga, porque si ese músico endiablado consigue desaparecer, puedo despedirme para siempre del manuscrito y sus secretos...»

Pese a todo, cuando acabó de despotricar, Raoulet logró fingir su buena disposición para, con sus más corteses ademanes, tender su mano a las parloteantes damas, muy excitadas ante la perspectiva de la boda. Una boda de la que él no sólo desconocía a los contrayentes, sino que, además, le traían sin cuidado.

⸦SORTILEGIO
para propagar la desolación y la esterilidad

Atrapa un gato negro,
mátalo,
rellena su piel con una mezcla de cereales
(cebada, trigo y avena)
y deja el conjunto en remojo
durante tres días en una fuente;
luego seca y reduce hasta el estado de polvo
tu gato relleno.
Un día de fuerte viento,
expande el polvo obtenido
—para mayor eficacia,
sube a lo alto de una colina,
de una torre o de un promontorio—:
todos los lugares alcanzados por ese polvo
se volverán estériles.

8

RODANDO DURANTE lo que creyó una eternidad, Bertoul sintió que se precipitaba hacia las entrañas de la tierra, mientras lo que parecía un número incontable de salientes rocosos le golpeaba brutalmente durante el descenso.

Cuando acabó por fin su interminable caída, apenas pudo ver, unos quince metros por encima de su cabeza, una minúscula abertura, bien oculta entre la fronda de helechos. El agujero que había entre las raíces del roble era, de nuevo, prácticamente invisible. Podían oírse, sin embargo, con toda nitidez los sonidos y las voces en torno al árbol.

—¡Pero...! ¿Dónde ha podido ir?

—¡Si ya lo teníamos...!

—¡Vamos, seguid buscando en lugar de hablar tanto! ¡Pensad en la recompensa!

Estaban haciendo mucho ruido. Bertoul percibió sin dificultad el paso de los caballos, las exclamaciones impacientes y nerviosas, la decepción y la cólera que poco a poco se iban apoderando de sus cuatro perseguidores. Con ansiedad, trataba de adivinar sus posiciones a través del ruido. Existía el peligro de que cualquiera de ellos tropezara, como él, con el agujero.

Aliviado, comprobó que los ruidos se iban alejando, como si los sicarios estuvieran trazando círculos cada vez más amplios alrededor del roble. A oídos de Bertoul no tardó en llegar otro sonido que el de los gritos de decepción. Sólo entonces respiró aliviado, aunque su corazón seguía latiendo con violencia.

Se palpó aquí y allá, no sin inquietud. Tenía un buen número de chichones y desolladuras, pero nada de gravedad. Todos sus miembros parecían enteros, sin fracturas, lo cual podía calificarse de milagroso. ¿Y el zurrón? Lo tanteó con la yema de los dedos. El libro seguía allí, con su gran rubí ovalado que no se había desengastado durante la caída. Y quizá se debiera a otro milagro el hecho de que su tamboril no se hubiera aplastado, y el rabel y su arco no hubieran sufrido ningún daño.

«Los cielos están de mi parte», se dijo Bertoul, «o más bien las profundidades de la tierra. ¡He tenido mucha suerte al caer en este agujero! Pero ahora veamos cómo salgo de aquí. Por si no tuviera bastante con huir de los esbirros de Raoulet, ¡me he quedado atrapado en el fondo de este pozo!»

Comenzó a examinar las paredes. Los salientes de roca contra los que se había golpeado formaban una especie de escalera. Con precaución, inició el ascenso hacia la salida, sintiendo ahora el dolor de sus múltiples contusiones. Cuando asomó la cabeza por el agujero, bajo las matas de helechos, pudo comprobar que los soldados aún permanecían allí, no demasiado lejos, esperando sin duda que acabara por descubrirse.

Mientras volvía a bajar con cautela, se preguntó quién se cansaría antes: él o ellos. Claro que ellos disponían de agua y comida, mientras él estaba hambriento y tenía la cantimplora vacía. Decidió examinar mejor ese «pozo» en el que había caído. En el lado opuesto a la improvisada escalera, una especie de pasadizo apuntalado con vigas aquí y allá, parecía hundirse en la tierra.

«Está claro que esta galería no es obra de los conejos», pensó.

Y, resueltamente, comenzó a avanzar por aquella catacumba.

⁓SORTILEGIO
para tener suerte en el juego

Para ser afortunado
en los juegos de destreza y de azar,
consigue una anguila muerta por falta de agua.
Ten dispuesta la hiel de un toro
que haya sido muerto por perros rabiosos,
y mete esa hiel en la piel de la anguila
con unas gotas de sangre de buitre.
Ata la piel de la anguila por los dos extremos
con la cuerda de un ahorcado
y entiérrala en estiércol caliente por espacio de quince días.
Seguidamente, ponla a secar en un horno calentado
con helechos recogidos en la noche de San Juan;
luego fabrica con ella un brazalete
sobre el cual escribirás
con una pluma de cuervo
y tu propia sangre estas cuatro letras:
H V L Y
Lleva ese brazalete alrededor de tu brazo
y te sonreirá la fortuna en el juego.

9

CUATRO HERMANOS! ¿Cómo soportar a cuatro hermanos? ¡Cuatro inútiles, además, cuatro indeseables que derrochaban las rentas de la heredad gastándoselo todo en armas, en fiestas, en estúpidos juegos de azar! ¡Que se peleaban en las tabernas y luego tenían que indemnizar a sus víctimas! ¡Que eran siempre derrotados, hasta en los más rústicos torneos, y despojados después por sus vencedores!

¡Cómo le hacía hervir la sangre a la joven ama del castillo ser la menor de todos y, por tanto, no tener ni voz ni voto!

Para colmo, aquellos irresponsables, que habían ya dilapidado la mayor parte de su patrimonio, repararon de pronto, unos días atrás, en que tenían una joven hermanita que, recién cumplidos sus catorce años, les podía ser muy útil. Por eso la habían encerrado en su cuarto, en lo alto de una torre, mientras se dedicaban a encontrarle un marido rico. ¡Oh, no es que la tuvieran prisionera con doble cerrojo en la puerta, eso no! A fin de cuentas alardeaban de ser muy corteses con ella y de respetar su plena libertad. Pero el caso es que dos hombres permanecían siempre apostados en su puerta, y si decidía salir de allí lo hacía siempre en compañía: la seguían a corta distancia si bajaba al patio de armas y aumentaban aún más el cerco si notaban que se acercaba al puente levadizo. Así que prefería permanecer en su habitación que sentir la presencia de los dos cancerberos.

No contaba con ninguna dama de compañía, una prima, una nodriza, ni siquiera una sirvienta, que la animara en los momentos bajos, la distrajera o, quizá, y sobre todo, la ayudara a trazar un plan de fuga.

«Ay, mi pobre *Almendrita*», se decía a sí misma, compadeciéndose de su propia suerte. El dulce apodo con el que antaño la llamaba su madre le venía siempre a la memoria cuando las cosas empezaban a ir mal.

Sabía exactamente lo que ellos pretendían: apañar una boda a toda prisa y meter la mano sin ningún tipo de escrúpulos en el bolsillo de su cuñado. Pero estaba resuelta a no ceder así como así. Si pensaban que esa era la función del matrimonio, ¿por qué no se buscaban ellos mismos unas ricas herederas? Todo dependería del novio, naturalmente —había algunos que ella no desdeñaría—, pero si el elegido no le agradaba, ya se las arreglaría para hacer fracasar el proyecto. En fin, al menos lo intentaría... Aún le quedaba, sin que ellos lo supiesen, una baza por jugar. Una baza que tenía la forma de una llave extraviada...

Regresaron al cabo de tres días. Subieron a su habitación y, alineados como pollos en un asador, satisfechos de sí mismos y sonriendo como lobos, le anunciaron que habían encontrado al esposo ideal.

—Este sábado te prometerás, y te casarás el domingo —le notificaron orgullosos, muy felices con su hallazgo—. Ya verás qué próspero marido te hemos encontrado. Y con todo arreglado ya para la boda.

Desconfiada, como no podía ser menos, ella preguntó:

—¿Quién es ese novio?

—Josce de la Bordonne —contestaron ellos a coro, con una sonrisa de oreja a oreja.

Un frío glacial la recorrió de la cabeza a los pies. Era mucho peor de todo cuanto habría podido imaginar. Con un gran esfuerzo logró que su garganta no emitiera un grito de protesta, que su cuerpo no se estremeciese de cólera, que su boca no esbozara una mueca de disgusto y que su rostro no reflejase una expresión de espanto. Simplemente dijo:

—¡Oh, vaya!

Por supuesto le conocía, igual que conocía a muchos otros señores de la región, a los que veía en las fiestas, las ceremonias, los torneos, los nombramientos. ¡Josce de la Bordonne!

Era rico. Y eso parecía ser lo único que había contado para sus hermanos. Su familia poseía muchas tierras, y además había enviudado de tres mujeres que le aportaron considerables dotes con las que aumentar aún más sus arcas. Tenía ya seis hijos. Y tenía también veintisiete años más que ella. Eso por no hablar de sus muy escasos cabellos, su barriga hinchada como un odre, sus dientes picados, sus piernas reumáticas, su aire satisfecho, grasiento, repugnante...

—Es un excelente negocio —dijo Gaubert, el hermano mayor.

¡Un «negocio»! ¡Eso significaba para ellos el marido que querían imponerle a su hermana! Nada más que un buen negocio...

—Sobre todo teniendo en cuenta que no exige una gran dote —prosiguió Gaubert alegremente—. Le daremos tan sólo el pequeño bosquecillo de La Chevroliere, que no produce casi nada.

—Y a cambio —habló Gauderic, el segundo hermano—, una vez que estés casada podrás obtener de él todo lo que tú quieras.

—Podrás, por ejemplo, sacar de apuros a tus pobres hermanos con alguna que otra bolsa —dijo Gautier, el tercero.

—Además es él quien paga la boda —añadió Gaudefroi, el benjamín—. Todo se está organizando ya: el banquete, la fiesta, el baile, las invitaciones a todos los castillos vecinos...

En resumen: la habían vendido. Y por dinero, como se vende un carnero en una feria. A ella, que sólo tenía catorce años. Ocurriera lo que ocurriese después, no les dejaría creer que podían conducirla al altar sin antes hacer algunas observaciones pertinentes.

—Ese marido que me habéis buscado... no es muy amable que digamos —comentó fríamente.

Lo cual no pareció afectarles lo más mínimo.

—¿De veras? En cualquier caso, eso es lo de menos, tratándose de un rico y poderoso aliado para nuestra familia, ¿no crees?

—Además —objetó ella a continuación—, las esposas parecen morir con mucha facilidad junto a él. Ya es tres veces viudo... Y no me gustaría ser la cuarta...

Tampoco esta pequeña pega pareció causar ningún efecto.

—¡Oh, sin duda eran naturalezas débiles! Pero tú eres mucho más fuerte.

—Ya veo —dijo ella moviendo afirmativamente la cabeza como una chica obediente.

Los cuatro hermanos suspiraron aliviados. No había habido necesidad de discusiones o amenazas para convencerla y parecía aprobar dócilmente su elección. Estaban lejos de sospechar que, en ese mismo instante, ella daba comienzo a su plan de acción.

—¿Estás contenta de nuestra elección? Podrías darnos las gracias, pequeña desagradecida. Llevarás el vestido de brocado blanco de tu pobre madre, que Dios tenga en su gloria, y en cuanto al novio, ya nos ha enseñado la sortija que va a regalarte: tiene una hermosísima esmeralda.

—Todo perfecto, pues —dijo ella con tono burlón—. Y respecto al banquete...

—Habrá bueyes y jabalíes asados, y aves rellenas, y venados, y faisanes, y pasteles de todas clases, y tortas de canela, y salsas...

A Gautier, el tercer hermano, rollizo y declarado glotón, la boca se le hacía agua por anticipado, y habría recitado el menú en todos sus pormenores si ella no le hubiera hecho un gesto en señal de que había comprendido la magnificencia del mismo.

—Yo seré quien te lleve hasta el altar —anunció Gaubert, jefe de la familia en su calidad de hermano mayor—. Llevaré al cinto la espada de nuestro pobre padre, que Dios tenga en el paraíso.

«Claro», pensó ella, «como que es la única reliquia familiar que te queda por vender.»

◖SORTILEGIO◗
para volverse invisible

Roba un gato negro,
mátalo y ponlo a cocer en un caldero.
Cuando esté bien cocido, es conveniente arrancarle
toda la carne con los dientes,
y luego situarse ante un espejo con su osamenta.
Muerde sus huesos uno por uno,
siempre mirándote en el espejo.
Acabarás hallando un hueso que,
cuando esté entre tus dientes,
no te permita seguir mirándote:
ése es el que te volverá invisible.
Y desde ese momento, cada vez que lo muerdas,
nadie podrá verte.

10

B ERTOUL CAMINÓ algunos pasos por el subterráneo. ¿Quién lo habría cavado? ¿Y para qué? ¿Se seguiría utilizando? En cualquier caso, para él era la única posibilidad de salvarse. Todo estaba en manos de Dios. Volvió a recoger el zurrón y se lo echó al hombro. Luego, sin dudar, comenzó a avanzar sobre un suelo ligeramente arenoso. Las paredes de tierra estaban regularmente sostenidas por maderos a guisa de puntales. Colgados del techo dormitaban algunos murciélagos a los que procuró no despertar. El pasadizo era lo suficientemente alto como para permitir su paso sin chocar con ellos.

Los ojos de Bertoul podían perforar sin dificultad la umbría gris del subterráneo. El aire era sano y, a primera vista, no había trampas, pendientes abruptas o simas traidoras. Su paso se hizo cada vez más seguro conforme recorría una distancia que estimó superior a la media legua. De pronto, el túnel presentó una inclinación ascendente y Bertoul se golpeó contra un obstáculo inesperado, provocando una pequeña escandalera.

—¿Pero qué es esto?

«Esto» era un baratillo de cestos viejos, cubas de madera, cacharros de barro desportillados y toneles de todos los tamaños.

—¿Qué será esto? ¿Un trastero?

Tropezando y enredándose con todos aquellos cachivaches, dio algunos pasos más y se encontró con el final del pasadizo. Una puerta le cerraba el paso. Una sólida puerta de madera, cerca de la cual, sobre un tonel, había dispuestas algunas antorchas nuevas y un encendedor*. El ruido de mucho ajetreo que se oía tras la puerta hizo que se decidiera a llamar con energía.

—¡Eh! ¿Hay alguien cerca? ¿Me puede abrir? ¡Estoy detrás de la puerta!

Una mujer abrió de repente y una oleada de luz hizo que Bertoul guiñara los ojos. La mujer, de unos cuarenta años de edad, blandía un enorme cuchillo lleno de sangre.

Al mismo tiempo, la nariz de Bertoul fue invadida por un torbellino de olores tan delicioso, que a punto estuvo de desfallecer.

—Pero, ¿se puede saber qué haces ahí? —dijo la mujer bajando el cuchillo—. ¿Cómo has venido a parar a este viejo almacén?

—No lo sé —contestó Bertoul.

—¿Quién eres tú? —preguntó la mujer.

Sonreía de una manera alentadora. Amable y robusta, lucía una saludable cara sonrosada bajo su gorro blanco.

—Bertoul Buenrabel —dijo él—. Soy músico.

—¡Entonces date prisa! ¡Te deben de estar esperando!

Bertoul hizo un esfuerzo para no mostrar su perplejidad.

—Vamos, sube cuanto antes, aquí en las cocinas no tienes nada que hacer. Bastante trabajo tenemos con preparar todos los platos del banquete como para ocuparnos también de músicos

---

* El encendedor medieval estaba formado por una bolsa de cuero que contenía los siguientes elementos: una pieza de metal rugoso que se deslizaba en los dedos (como un puño americano actual), un sílex y fragmentos de yesca. Las chispas producidas por el choque del sílex sobre el metal la inflamaban. La llama producida podía ser trasladada entonces a una antorcha, una candela, unas ramas, etc.

extraviados. Y tengo un pastel de carne a punto de entrar en el horno... Vamos, camina, es por aquí...

Cocina... platos de un banquete... pasteles de carne... Ahora sí que Bertoul estuvo seguro de que iba a desmayarse. Echó a andar, sin embargo. Una intensa actividad animaba una enorme estancia donde ardían numerosos fuegos, y en la que había varias mesas atiborradas de guisos, de asados y de potajes, y en cuyos estantes resplandecían los pasteles, los bollos, los flanes y los recipientes llenos de golosinas.

Una muchedumbre de cocineros, cocineras, pinches, amasadores, encargados de pelar y mondar, aguadores y responsables de dar vueltas a los espetones estaba en plena actividad. Los olores de la carne, del pan caliente, de la canela, del vino cocido y de las hierbas frescas flotaban deliciosamente en medio del trajín. Bertoul, con el estómago en los talones, saturado de emociones y de cansancio, sintió que la cabeza le daba vueltas y se tambaleó ligeramente, al tiempo que las rodillas le flaqueaban y la boca se le hacía agua.

—¡Pero bueno! —dijo la mujer del cuchillo—. ¿Qué te pasa ahora?

—Eh... nada... nada en absoluto.

Ella, en jarras, pareció adoptar de pronto un aire amenazador:

—Mira, hijo, como que me llamo Guibourc, que tú me estás mintiendo. Tienes pinta de no haber comido desde hace un par de días por lo menos. ¿Me equivoco?

—He comido esta mañana, antes de llegar aquí. Un puré de guisantes —quiso disimular Bertoul con dignidad.

Pero las piernas le traicionaron y tuvo que dejarse caer de golpe sobre un taburete.

—¡Ah, no, a mí no me vengas con esas! Se supone que los músicos no tienen que desmayarse de hambre durante la fiesta.

—¿Qué es lo que se festeja? —preguntó Bertoul.

Guibourc le puso en la mano un panecillo, todavía caliente, acompañado de una buena porción de nueces y uvas, y Bertoul no se hizo de rogar para hincarle de inmediato el diente.

—¡Así que tenemos aquí a un auténtico despistado! —ironizó la cocinera—. ¡Se había olvidado de comer, se pierde en el antiguo almacén y ni siquiera recuerda el motivo por el que todos los músicos de la región están aquí!

Guibourc puso al alcance de Bertoul un cuenco bien surtido de ciruelas. El muchacho tomó cinco o seis.

—Bueno, ¿qué fiesta es? —volvió a preguntar.

—Supongo que nuestra joven ama no se sentiría muy halagada de saber que uno de sus músicos ha olvidado que mañana se celebran sus esponsales.

—Sus esponsales... pues claro... lo que no recordaba era si se trataba de esponsales o de boda.

—La boda es al otro día. Y ahora sube al gran salón de arriba y allí el intendente te dirá lo que debes hacer y dónde debes situarte.

Antes de irse, Bertoul le hizo una cortés reverencia.

—Gracias por ser tan bondadosa, Guibourc.

—Toma, llévate también esto, esto y esto otro. Los pastelillos rotos, los bollos deformes y los frutos picados siguen estando muy ricos, pero no son presentables en un banquete de fiesta. Llévatelos todos y así haré más sitio en los estantes.

La buena mujer le puso todas aquellas golosinas entre las manos, y varias vituallas más, que él fue guardando en su zurrón mientras se deshacía en agradecimientos.

Era una buena oportunidad esta boda: podría ejercitar sus talentos, comer hasta hartarse, reponer fuerzas y quizá hasta ganar algunas monedas, pues los recién casados suelen ser generosos. Pero, sobre todo, podía indagar sobre el camino de París: en los castillos solía haber siempre uno o dos clérigos, capellanes de la fortaleza, y con más razón los habría en aquel momento, cuando se celebraba una ceremonia de esponsales. Y sabido era que los clérigos, unos mejor que otros, conocían casi por obligación las rutas y las ciudades.

Bertoul salió de las cocinas y se encontró en un patio cubierto de hierba en el que reinaba una agitación aún más intensa de la que él recordaba de las mejores fiestas celebradas en Tournissan. Sacó del zurrón el rabel y el arco, y los sostuvo despreocupadamente en la mano mientras buscaba la entrada al gran salón.

—Los acróbatas por aquí, y los músicos por allá —gritó un individuo que debía ser chambelán—. El amaestrador de monos, con los acróbatas...

Bertoul siguió al pequeño grupo que había formado junto a una escalera, siempre buscando con la mirada, entre la numerosa muchedumbre que se desplazaba animadamente por el recinto, un cráneo tonsurado, una sotana, una sobrepelliz o una cogulla que le revelaran la presencia de un monje.

De pronto, quedó como paralizado. A quince pasos de él, con aspecto malhumorado pero luciendo un jubón resplandeciente, Raoulet de Mauchalgrin bajaba de su caballo.

⚬SORTILEGIO⚬
para no tener miedo de los fantasmas

Ten a mano
un manojillo de ortigas
y otro de
Aquilea milenrama.
Verás cómo ningún fantasma

te espanta.

11

L OS ESPONSALES ESTABAN anunciados para el día siguiente. Una jornada de tregua antes del matrimonio. «Pues bien», se dijo la novia, «va a ser del todo necesario que la pobre *Almendrita* se convierta en la valiente *Almendrita*. Y ya sabes lo único que puedes hacer, mi niña: huir de aquí, si te es posible, e ir en busca de la única persona que puede ayudarte.»

Desde lo alto de la torre, a través de la tronera, tan estrecha que ni podía meter la cabeza, apenas podía entrever los afanosos preparativos del patio, la entrega de vituallas, la llegada de criados reclutados en los pueblos vecinos, así como de los músicos y acróbatas, y quién sabe si también la de los primeros invitados y hasta la del propio novio en persona con todo su cortejo. Los aromas del pan caliente, de los dulces de repostería, de las especias y de los asados se expandían por todas partes y enviaban hasta ella sus efluvios.

Se le escapó una breve risa, aunque sin alegría, al pensar que todo aquello no iba a servir para nada. Luego abrió la puerta, como siempre bien custodiada.

—Quiero que me suban agua caliente para darme un baño —ordenó con sequedad.

—A vuestro servicio, mi señora —dijo uno de los guardianes, y al momento fue a transmitir la orden, sonriendo con suficiencia.

Era cosa lógica, se dijo el vigilante, que una joven novia quisiera estar guapa para su fiesta de compromiso. La joven ama no tenía fama por su belleza, una reputación que casi siempre se reservaba para las muchachas rubias y con ojos azules. Ella, en cambio, tenía el pelo negro, y el color de sus ojos variaba entre el verde y el gris. Y luego estaba su tez, ¡demasiado morena! ¡Y esa boca demasiado grande! ¡Y aquel cuerpo tan delgado! No, no podía decirse que fuera una joven hermosa. Era seguramente por eso por lo que sus hermanos, considerándola una especie de adefesio, se habían dado tanta prisa en casarla.

Al cabo de una hora —el tiempo necesario para que el agua estuviera caliente—, apareció una hilera de quince sirvientas, jadeantes y sofocadas, cada una de las cuales transportaba dos cubos que fueron vertiendo en la gran bañera que amueblaba un rincón de la estancia.

—Ahora —dijo la joven ama—, no quiero que se me moleste hasta la hora de la misa de mañana. Dejadme pasar la noche rezando para que Dios, Nuestra Señora y todos los santos del paraíso me protejan en esta nueva vida que estoy a punto de comenzar.

Aquella piadosa excusa le proporcionaría algunas horas de ventaja antes de que se pusieran a buscarla…

«¡Pero lo cierto», pensó, «es que no les estoy mintiendo!»

Lo primero que hizo cuando se quedó sola fue bloquear la puerta. ¡Nunca se es demasiado prudente! Luego, derramó en el agua caliente esencias de rosa y de lirio (sería una necedad no aprovechar un buen baño, pues quién sabe cuándo podría volver a gozar de semejante lujo) y se sumergió con deleite.

Con los ojos cerrados, chapoteando en la perfumada atmósfera, vio el transcurrir de su infancia en aquel castillo, comenzando con la temprana muerte de sus padres…

Había sido una niña solitaria y decidida. Le decían a menudo que era demasiado testaruda, que ese defecto le jugaría malas pasadas, que tendría que aprender a someterse. Y ella nunca lo comprendió. ¿Acaso se les decía a los chicos que se sometieran? No. Se les exigía valor y coraje, en tanto que a las chicas se les pedía docilidad. Pues bien, ella siempre prefirió el coraje, aunque ese camino no fuese siempre el más fácil.

A pesar de todo, había recibido una buena educación: sabía coser, hilar, bordar, bailar, montar a caballo. También poseía un amplio conocimiento de las plantas y de sus secretos para curar, perfumar y para muchas otras cosas que sólo podían decirse en voz baja.

Acabado el baño, sacó unos vestidos del fondo de un baúl. No tenían nada que ver con su ropa de costumbre, sino que se trataba de uno de esos atuendos propios de una pueblerina que las nobles damas siempre guardaban en reserva. Así, en caso de ataque, no serían delatadas por la suntuosidad de la vestimenta y tendrían más oportunidades de escapar a la captura y a la posterior petición de rescate. A ella, eso esperaba, la ayudaría a huir…

Se puso, pues, una tosca camisa, dos faldas de lana remendadas, un pequeño y ajustado corpiño y una chaquetilla forrada con piel de conejo. ¡Adiós a las delicadas pieles de zorro o de marta!

Se recogió el cabello y lo sujetó con tres alfileres, luego envolvió su cabeza en una tela dispuesta como la cofia de una campesina. Para rematar, unas cómodas calzas y unos botines ajustados por un cordón de cuero.

Lo siguiente fue preparar la impedimenta. Para empezar guardó todas sus joyas, así como su mejor vestido —el verde de los preciosos galones—, que dobló con sumo cuidado. También su cinturón de cuero labrado, dos delicadas camisas, un peine de marfil y varios tarros con polvos perfumados y valiosos ungüentos.

Más arriba, un buen surtido de las plantas que tan bien conocía y que sabía identificar sólo con su olor: menta, artemisa, salvia, hisopo, corazoncillo y otras muchas... Tomó dos puñados de cada una y los dispuso cuidadosamente en pañuelos de lino que iba plegando, tres dobleces en un sentido y otras tres en el otro, hasta formar un envoltorio seguro. El fardo iba a ser muy pesado para llevarlo a cuestas, pero todo aquello le parecía indispensable. Además, tenía el propósito de hacerse con un caballo lo antes posible. Pero sabía que podía comprarlo con cualquiera de sus joyas.

Hecho esto, mezcló en una pequeña copa una porción del aceite de la lámpara y otra de polvo de carbón de leña. Mojó un bastoncillo en esa mixtura y, mirándose en un minúsculo espejo de metal pulido, dibujó sobre su rostro unas espesas cejas negras que se unían por encima de su nariz y la hacían casi irreconocible; después, para rematar su obra, se ensució la cara con algunos restos de ceniza.

Para concluir, se echó encima una gruesa capa de paño, se colgó el hatillo en el brazo y se dirigió hacia el pequeño torreón donde estaban las letrinas. Había en aquel torreón una estrecha, nauseabunda y tortuosa escalera que estaba en desuso desde hacía lustros. A través de sus puertas, tanto tiempo atrancadas, comunicaba las tres plantas del castillo y concluía en una poterna semi olvidada que daba al patio de servicio.

Pues bien, desde hacía mucho tiempo, su madre se la había confiado antes de morir, ella tenía en su poder la llave de aquella poterna. Por suerte, a los memos de sus hermanos no se les había ocurrido pensar que podría escapar por allí.

Cierto era que, aunque llegase al patio, nada estaba aún resuelto. Si alguien la reconocía estaría perdida o, lo que es lo mismo, casada con aquel repulsivo Josce de la Bordonne. Pero,

¿quién iba a identificar, entre todas las sirvientas y campesinas desconocidas que habían sido reclutadas para el acontecimiento, a la joven ama del castillo disfrazada como si fuera una chica del campo? Quién, aparte de sus hermanos, naturalmente. De ellos, que en aquel preciso instante estaban en el puente levadizo recibiendo a los primeros invitados, debía especialmente guardarse. Por suerte no era aquella la vía por la que tenía intención de escapar.

Conteniendo la respiración, comenzó a bajar por la escalera de caracol. Al llegar al final, comprobó que, en efecto, la poterna no había sido utilizada en la última década: el polvo y las telarañas la cubrían por completo y sus herrajes no habían sido engrasados desde hacía mucho tiempo.

Cautelosamente, la joven introdujo la enorme llave en la cerradura e intentó hacerla girar con todas sus fuerzas. No parecía estar oxidada. El pestillo se deslizó sin demasiada dificultad, aunque con un sonoro chasquido. Permaneció paralizada algunos instantes, con el corazón acelerado, aunque no era probable que, en medio de la efervescencia de los preparativos de la fiesta, alguien hubiese reparado en aquel ruido metálico. Por fin entreabrió el batiente. El patio estaba atestado de gente atareada que corría en todas direcciones. Sin pensárselo dos veces, se escurrió fuera, cerró la puerta y se agregó, anónima y discreta, a toda aquella agitación.

Para perfeccionar su personaje, decidió cojear, y de esa guisa comenzó a atravesar el patio en dirección a las dependencias del servicio. Con el rabillo del ojo pudo ver a sus cuatro hermanos en torno al puente levadizo. Felizmente, su plan era ir en la dirección contraria.

Sin apresurarse, sin darse la vuelta, sin levantar la cabeza, recorrió todo el patio arrastrando una pierna; luego entró en las cocinas, que estaban poseídas de una conmoción inusitada. Las mesas aparecían abarrotadas de vituallas, un humo denso saturaba la atmósfera y gritos nerviosos surgían de todas partes. Por si no bastara, un enjambre de marmitones y criados iba y volvía sin descanso hacia el pozo, cargado con cubos de agua, o hacia la leñera en busca de leña.

Con la cabeza baja, el gesto activo, el andar renqueante y el hatillo firmemente sujeto en la sangradura del codo, como si fuese un saco de coles o de manzanas, se echó a caminar en medio de toda aquella gente. El corazón debía latirle a mil por hora.

Llegar a la puerta del antiguo almacén. Abrirla. Escurrirse furtivamente por ella. Volverla a cerrar.

Ya está. Se encontraba a salvo. Nadie se había fijado en ella. Se apoyó en la puerta cerrada, la mano sobre el corazón, casi riendo con una mezcla de nerviosismo, alivio y alegría. Había resultado sumamente sencillo, casi un juego.

Pero la fuga aún no había concluido. Tal y como esperaba, no tardó en encontrar una antorcha: tener siempre una provisión de ellas era una precaución elemental en todo subterráneo más o menos secreto. Para prenderla, golpeó el encendedor y las chispas inflamaron enseguida la yesca; luego sólo tuvo que trasladar la llama.

Comenzó a avanzar por aquel pasadizo cuya existencia conocía desde siempre, aunque jamás lo hubiese recorrido, y que desembocaba muy lejos de allí, si bien ignoraba exactamente dónde. Lo que sí sabía era el lugar al que después tenía que dirigirse. La anciana dama le había ofrecido sinceramente su compañía en caso de aburrimiento o de necesidad, por eso pensaba ir sin dilación al castillo de la señora Hermelinda de Tournissan.

Caminó durante un tiempo que juzgó interminable. El pasadizo era extraño y estaba lleno de recovecos, de recodos, quizá de falsas galerías. A veces era amplio y otras estrecho, a veces resultaba tan bajo que el techo le golpeaba y otras formaba una bóveda digna de una catedral. Debía de estar poblado además de murciélagos e insectos ocultos. Brrr… Nunca en su vida había tenido tantas ganas de salir de un lugar.

De improviso, una violenta corriente de aire impregnada de olores de cocina invadió el subterráneo e hizo vacilar la llama de la antorcha.

—¡No, no, no te apagues! —gritó la joven.

Pero la antorcha no atendió a la súplica. Y aunque la muchacha sopló frenéticamente sobre los rojos puntitos de brasa que aún quedaban aquí y allá, estos fueron desapareciendo uno a uno.

En un instante, como si la hubiera envuelto una espesa y compacta mortaja de sombra, se encontró totalmente a oscuras.

El pánico se apoderó de ella. Estiró los brazos intentando tocar las paredes, pero estaba en un tramo amplio y sus dedos sólo tentaron el vacío. Con los ojos desmesuradamente abiertos, trató de vislumbrar algo, por poco que fuera, convencida de que su visión se iría adaptando a la oscuridad. No fue así. A tientas, exploró febrilmente su hatillo. Acaso, sin darse cuenta, había guardado el encendedor, aunque bien sabía que el esfuerzo era en vano: recordaba haberlo colocado junto a las otras antorchas, tal y como debía hacerse.

Estaba sola en un subterráneo oscuro como una tumba. Perdida en la más completa negrura. Tal vez para siempre.

Con movimientos inseguros, se acuclilló en el suelo, que era seco y áspero, y avanzó a gatas hasta golpearse la cabeza. Había chocado contra una pared. Entonces apoyó la espalda contra ella, dejó el hatillo a un lado y se quedó acurrucada con los brazos alrededor de las rodillas y los ojos completamente abiertos, aunque sin conseguir ver nada.

Al poco rato se puso a gemir. Se dijo con desesperación que más le habría valido, después de todo, casarse con Josce de la Bordonne. Ahora estaba condenada a morir de hambre y de miedo en aquel pasadizo negro como boca de lobo, y en el que nadie en el mundo sabía que se hallaba.

Habría dado cualquier cosa a cambio de que sus hermanos la sacaran de allí. Les obedecería dócilmente. Nunca más se mostraría testaruda. Se casaría en cuanto ellos lo ordenasen. Saquearía las arcas de su marido para darles su oro a manos llenas. Se resignaría a una vida de esposa malcasada… Pero ellos no iban a venir. Nunca. Jamás de los jamases. Ni siquiera la señora Hermelinda de Tournissan, con toda su ciencia, podría adivinar nunca dónde se encontraba. Estaba irremisiblemente perdida.

Poco a poco sus gemidos se fueron apagando. Ya no tenía fuerzas ni para llorar.

Posó la cabeza sobre las rodillas y se sintió sumida en el más profundo abatimiento.

~SORTILEGIO~

para que una fiesta tenga éxito

Pon en el vino
una **infusión de verbena,**
y derrama el líquido resultante
allá donde la fiesta vaya a tener lugar:
todos los invitados estarán
alegres y de muy buen humor
durante el banquete.

12

NADA MÁS VER a Raoulet de Mauchalgrin en el patio de aquel castillo, Bertoul se dio media vuelta para no ser reconocido. ¿Cómo había podido el joven noble encontrar su pista con tanta rapidez? Lentamente, con la espalda vuelta tanto a Raoulet como al chambelán que guiaba al pequeño grupo de músicos, procuró recobrar la calma y pensar con serenidad.

Raoulet no podía saber en modo alguno que él se hallaba en ese castillo. Si estaba allí, sería por casualidad. «¡Pues claro!», razonó de pronto Bertoul. «¡La boda es el motivo!» Sin duda era un invitado a la fiesta de esponsales. Eso explicaba su elegante indumentaria. Y quizá también su aire irritado.

Con mil precauciones, el rostro medio oculto bajo su capucha, lanzó una mirada de soslayo. Raoulet estaba ayudando a las damas a bajar de sus monturas con un enviaramiento que evidenciaba el largo camino que aún tenía que recorrer en materia de cortesía.

—Tendrás que aprender a ser más agradable y servicial con las damas, joven escudero —le reprendió en aquel momento, con tono glacial, una dama de cierta edad que tenía dificultades para bajar de su litera, y a la que Raoulet ofrecía torpemente su brazo.

—Es sólo mi primer día de servicio —masculló el aludido a modo de excusa.

—¿Y eso te impide también ser un poco más amable? —le contestó secamente la dama.

Primer día de servicio... Raoulet debía llevar a cabo su aprendizaje como escudero en la casa de una noble familia y para ello se le había dado el encargo de escoltar y ayudar a las damas.

«Ahora», pensó Bertoul, «es urgente escapar de aquí antes de que me vea».

—¡Vosotros, los músicos, por aquí! —voceó el chambelán—. ¡Eh, también tú, el del rabel! Ven, acércate, ¿cómo te llamas?

En lugar de responder, Bertoul, como sacudido por un recuerdo repentino, gritó:

—¡Oh, lo siento, he olvidado algo allí abajo!

Y sin tener en cuenta las imprecaciones del chambelán, que empezaba a poner el grito en el cielo, echó a correr a toda velocidad y, tras cruzar el patio, recaló en las cocinas, donde la agitación parecía haber aumentado desde su anterior visita.

—¡Otra vez tú! —exclamó Guibourc, siempre blandiendo su enorme cuchillo.

—¡Mi flauta! Se me ha debido caer del zurrón en el pasad... en el almacén —explicó Bertoul con nerviosismo—. No os preocupéis por mí, conozco bien el camino.

Abrió la puerta del almacén. En el mismo instante, una remesa de aguadores abría de par en par el portón que daba al patio, y varios marmitones hacían lo propio en una de las ventanas, dando lugar a una corriente de aire que atravesó la cocina con extraordinaria violencia. Una nube de humo penetró hasta el fondo del subterráneo y la puerta se cerró ruidosamente justo cuando Bertoul acababa de traspasarla.

Todo iba bien. Allí, por el momento, estaba a resguardo. Raoulet no le había visto, el chambelán no se molestaría en buscarle y Guibourc creería que había vuelto a salir. Volvió a guardar el rabel en su zurrón.

En cuanto a la opción que debía tomar a continuación, no parecía presentar muchas dudas. La presencia de Raoulet descartaba por completo la posibilidad de regresar al patio de aquel castillo, del que ni siquiera conocía el nombre, y participar como músico en las fiestas. Sólo le quedaba, por tanto, el otro extremo del subterráneo.

«Veamos», se dijo, «con un poco de suerte, los cuatro esbirros de los Mauchalgrin, cansados de esperar, se habrán marchado del bosque. Pero si aún estuvieran rondando por allí, puedo esperar tranquilamente a que se larguen. Es cuestión de paciencia y tengo el estómago lleno y el zurrón repleto de provisiones.»

Sólo había algo que lamentar: no podría participar en la fiesta. «¡Buena suerte la mía! ¡Encuentro un hermoso castillo en fiestas donde poder tocar mi música y ganarme de paso algunos escudos, y en cuanto doy media vuelta me topo con Raoulet de Mauchalgrin, que se ha convertido en mi peor enemigo! ¡De frente tengo a sus sicarios, y detrás al muy dañino en persona!»

Una vez más, volvió a acomodarse el zurrón sobre el hombro.

«En todo caso», pensó, «debe de haber más galerías y túneles en este pasadizo, y probablemente también otras salidas. Es cuestión de mirar con más detenimiento que hace un rato...»

Y con esa determinación se abismó de nuevo en el subterráneo que tan sólo un par de horas antes había recorrido en sentido inverso, muy atento ahora a descubrir, en las zonas más oscuras, pasillos o escaleras disimuladas que pudieran conducir a otra salida.

De pronto, hacia la mitad del recorrido, se detuvo en seco. Apoyado contra una de las paredes había un gran bulto que, de eso estaba seguro, no se hallaba allí cuando hizo el viaje de ida.

Además… el bulto no permanecía inmóvil, sino que era sacudido por espasmos y emitía una serie de ruiditos.

¡Había alguien más en el pasadizo!

¿Sería uno de sus perseguidores? No, imposible, un soldado no podía temblar, sollozar y gemir de esa manera.

Bertoul se fue acercando. El bulto cobró forma y, aunque encorvado, creyó distinguir una figura femenina. Tenía las rodillas replegadas y la cabeza oculta entre sus faldas, y despedía una especie de olor vegetal, un fuerte aroma de hierbas secas bastante agradable.

—¿Qué estáis haciendo aquí? —preguntó con una voz que, sin pretenderlo, le salió demasiado brusca.

Una cabeza se alzó con gesto aterrorizado y gritó:

—¡Aaahhhh!

Bertoul vio entonces el rostro tiznado y enloquecido de una joven, un rostro envuelto en una cofia de tela blanca. Una campesina.

Ella parecía no verle, pues sus ojos espantados no dejaban de girar en su dirección pero sin acabar de fijar la mirada.

—¿Qué estás haciendo aquí? —repitió Bertoul con un tono más afable, tras comprobar que tenía que vérselas con una chica, humilde como él, y más o menos de su edad—. ¿Te has perdido?

—¡No veo nada! —gritó la muchacha—. ¡Una corriente de aire ha apagado mi antorcha!

Bertoul se puso en cuclillas junto a ella.

—Pues yo sí te veo —le dijo—. No es que haya mucha luz, ciertamente no mucha más que en un oscuro anochecer, pero al menos la suficiente para distinguir las cosas.

—No digas eso —la chica habló con voz estrangulada.

—¿Por qué?

—Porque si tú puedes verme y yo no, significa que estoy ciega...

Su acento trágico y desesperado conmovió profundamente a Bertoul.

—¿Ciega? ¿Por qué razón?

—No lo sé —dijo ella con una voz presa del pánico—. Mi antorcha se apagó y ya no veo nada.

—Es extraño —observó Bertoul—. No se necesita una antorcha para orientarse por aquí.

Ella se tocó los ojos, los abrió desmesuradamente, colocó una mano ante sus pupilas y movió la cabeza en un sentido y otro.

—No veo nada —gimió con desesperación—. Estoy perdida. ¿Qué va a ser de mí? ¡Oh, Dios mío! ¿Qué va a ser de mí?

Bertoul no supo qué decirle y, menos aún, cómo ayudarla.

—¿Qué haces aquí dentro? —le preguntó con amabilidad—. Y, antes que nada, ¿cómo te llamas?

—Yo soy... eh... me llaman *Almendrita* —dijo ella con voz entrecortada—. Y estaba... eh... no se lo digas a nadie... aunque, qué más da, ahora que estoy ciega... bueno... estaba huyendo del castillo.

—¿Del castillo en el que va a haber una boda?

—De ese mismo. No podía quedarme en él. No quería.... no... no puedo. En todo caso, ahora que no veo nada, tampoco puedo volver.

—¿Quieres que te acompañe hasta allí?

—¡No, no, de ninguna manera! —exclamó la joven—. Allí hay alguien que... alguien que quiere hacerme daño...

—Pero estarás atendida. Quizá lo que tienes no sea grave...

Ella negó repetidamente con la cabeza. Tenía los ojos, siempre abiertos como platos, vueltos hacia Bertoul, pero sin verlo.

—Entonces, ¿qué piensas hacer exactamente?

—Debo llegar al otro extremo del túnel —contestó ella—. No sé dónde desemboca, pero sé que es lejos del castillo. Si tú quieres ayudarme...

—Cla... claro que sí —dijo él con voz vacilante.

No podía contarle a aquella infeliz desconocida que, justamente, en el otro extremo del túnel, la cuadrilla de Raoulet de Mauchalgrin lo aguardaba para hacerlo picadillo.

—Llévame hasta la salida, por favor... Allí intentaré orientarme. Tengo que encontrar a la única persona que puede ayudarme.

—Oh, eso está muy bien —dijo Bertoul—. Me refiero a que conozcas a alguien que te pueda ayudar. Yo puedo llevarte hasta el final del pasadizo... Bueno, casi hasta el final.

Eso, mejor «casi»... No podía correr el riesgo de exponerse nuevamente a la vista de sus perseguidores. Después, la chica tendría que arreglárselas sola. A fin de cuentas, no era culpa suya que no pudiera ver.

Apoyándose a tientas en la rocosa pared, la chica se puso en pie. Dio un par de pasos, vacilantes e inseguros, agarró su hatillo y se lo colocó en el brazo.

—Estoy lista —dijo.

—Ese bulto parece muy pesado. Dámelo, si quieres, y yo lo llevaré —le propuso Bertoul en un arranque de galantería.

—¡No, no! —exclamó la muchacha, estrechando enérgicamente contra su cuerpo los únicos bienes que le quedaban.

Bertoul no insistió, bastante tenía con su propio petate, en el que el peso del manuscrito del rubí se hacía sentir y de qué manera. Lo que hizo fue tomar la mano de ella y posarla sobre su hombro.

—Caminaremos lentamente —le dijo—. Así no te soltarás.

Dieron algunos pasos. La joven no se sentía nada segura y se crispaba a cada instante. Andaba a trompicones, chocando continuamente con él, o tropezaba y soltaba algún quejido, por el que pedía perdón de inmediato. Por encima de todo, procuraba no perder el contacto, lo que la obligaba a clavar nerviosamente sus uñas en la piel de Bertoul.

Él caminaba con paso tranquilo, atento al menor obstáculo, al más leve declive. Pensaba en la chica: ¿qué clase de angustia se debe sufrir cuando uno se queda ciego de repente? Se esforzó por mostrarse atento. ¿Qué más podía hacer por ella? ¿Un poco de conversación, quizá? Sería un buen entrenamiento para cuando estuviera frente a las damas de los castillos en los que algún día pensaba cantar.

—¿Por qué quieres irte del castillo? —le preguntó.

—Allí corro un grave peligro —masculló ella sin mayor precisión.

—¿Es grande? Sólo he visto las cocinas y el patio, pero…

—Las gentes que lo habitan no son muy dignas de estima —le cortó ella.

Bertoul llegó a la conclusión de que la chica había sido severamente reprendida debido a alguna negligencia en sus tareas. Si sus amos eran tan duros como los Mauchalgrin, no era extraño que quisiera huir de ellos a la menor ocasión.

—¿Quién se casa? —volvió él a preguntar.

—La joven señora del castillo —dijo ella con voz entrecortada—. Pero se trata de una boda mal… mal concertada. Va a ser muy desgraciada.

—No tanto como tú si de verdad has perdido la vista —dijo Bertoul compadeciéndose.

La muchacha no dijo nada pero suspiró de un modo que partía el alma, por lo que Bertoul dedujo que no sabía muy bien cómo conversar con las mujeres. Menos mal que ella no podía ver la fuerte tonalidad escarlata que había invadido sus mejillas.

—Perdóname —le dijo.

El final del subterráneo estaba próximo. La muchacha podría seguramente salir a tientas valiéndose de los improvisados escalones de piedra, pero no estaba en condiciones de decirle si los que le acechaban seguían aún por allí. Se preguntó cómo se las apañaría a ciegas en medio del bosque. Sin embargo, estaba claro que no podría seguir con ella cuando salieran del túnel.

«¿Por qué me tiene que pasar todo esto a mí?», se iba preguntando. «Como si no tuviera ya bastante con la misión que debo cumplir. Eso sin contar con Raoulet de Mauchalgrin...»

—¿Tienes hambre? —preguntó a la joven—. En la cocina me han dado algunas cosillas.

—No, gracias —dijo ella—. Creo que he perdido el apetito para mucho tiempo.

Bertoul percibió que la chica estaba llorando en silencio.

—Encontrarás a alguien que sepa lo tienen tus ojos —le dijo con un tono que pretendía ser tranquilizador—. No te preocupes. Estoy seguro de que no es nada grave. No se pierde la vista así como así. Además, lo cierto es que esto está muy oscuro. Quizá a la luz del día... Tendrás que aplicarte algún ungüento, algunos emplastos de hierbas. No hace mucho, yo conocía a una persona que...

El recuerdo de la señora de Tournissan hizo que la pena y la nostalgia lo invadieran de golpe, dejándolo sobrecogido por la emoción.

—Yo conozco también a alguien —la joven habló con voz vacilante—. Una dama de una comarca próxima me dijo que podía acudir a ella si tenía problemas. He huido del castillo para refugiarme en su casa y pedirle consejo. Ella posee muchos conocimientos extraños y maravillosos, y tal vez uno de ellos sirva para que pueda volver a ver.

—Seguro que sí.

—Creo que sus tierras no están muy lejos. Como a un día de marcha. Quizá podrías acompañarme.

—No sé —dijo Bertoul—. Es que yo... hay unos... Va a ser difícil que...

—Oooh... —se limitó a decir ella, pero la decepción y el miedo eran casi tangibles en aquel «oh» prolongado.

—Bueno... haré lo que pueda... El peligro es que...

—No está lejos, ya te lo he dicho —repitió la joven—. Pero sola no llegaré jamás.

Lo cierto era que seguía tropezando a cada momento. ¿Cómo se las arreglaría en un bosque lleno de zarzas, raíces, troncos caídos, ramas bajas...? No sería capaz ni de dar cuatro pasos.

Claro que, a fin de cuentas, él no le debía nada. Bertoul comenzó a sentirse un poco molesto. Las chicas tienen la costumbre de creer que hay que estar a su servicio en todo momento. En fin... La dejaría en la puerta de alguna iglesia, y eso era todo lo que podría hacer por ella.

—Me conformaría con que me dejases en el camino de Tournissan —sugirió la joven.

—¿Tournissan? —exclamó él sobresaltado—. ¿Por qué Tournissan?

—Es allí adonde debo ir —explicó—. Es a la señora de Tournissan a quien me es preciso encontrar.

—¿A la señora Hermelinda de Tournissan?

—Sí, así se llama.

—¡Pobre de ti, entonces! —exclamó Berotul—. Porque la señora Hermelinda murió no hace aún una semana...

Al tiempo que daba un grito enloquecido, la joven dejó caer su enorme hatillo y, como fulminada, se desplomó.

⟨SORTILEGIO⟩

para predecir el futuro

Cómete, todavía caliente,
el **corazón** de **una anguila** muerta,
o bien el de una comadreja.
Así sabrás predecir el porvenir.

13

L A SEÑORA HERMELINDA de Tournissan… muerta… Entonces —murmuró la joven—, estoy perdida.

—Seguro que puedes intentar otras cosas —dijo Bertoul tratando de darle ánimos.

—¿Qué va a ser de mí? ¿Qué va a ser de mí? —repetía como una salmodia, balanceándose adelante y atrás como si quisiera adormecer su angustia.

Bertoul se arrodilló junto a ella y le preguntó.

—¿Por qué ibas en su busca? ¿Cómo la conociste?

Sin responder, *Almendrita* hizo una profunda inspiración, se secó la cara y, esforzándose por mostrar un ánimo decidido, declaró valientemente:

—Ya sé, iré a ver a su heredero. Sin duda me acogerá en recuerdo de la señora.

—¿Su heredero? No creo que sea una buena idea. El sobrino de la señora es un caballero sin entrañas, implacable con la gente humilde. No tendrá piedad de ti y te despedirá sin darte siquiera una mísera limosna.

—¿Cómo sabes tú todo eso? —preguntó ella con una voz repentinamente cambiada y que a Bertoul le pareció algo altanera—. ¿Qué sabes tú de los caballeros? ¿Y de la familia de la señora Hermelinda?

—He tenido que habérmelas con Raoul de Mauchalgrin y con su hijo. Son unos ruines, créeme.

—Ayúdame a salir de aquí —pidió ella— y ya lo pensaremos por el camino.

Volvió a levantarse, agarró a tientas su hatillo y se apoyó como antes en Bertoul. Así se inició de nuevo su tambaleante marcha a través del pasadizo.

—¿Por qué querías ver a la señora Hermelinda? —volvió a preguntar Bertoul, en vista de que estaba algo más sosegada.

Pero en lugar de responder, la joven lanzó un gran grito, al tiempo que doblaban un recodo del subterráneo. Un grito de alegría y de alivio. Soltó el hatillo, se separó de Bertoul y, con las manos por delante, comenzó a caminar exclamando:

—¡Ahora veo! ¡Veo una especie de resplandor más allá! ¡Distingo las paredes del túnel!

—Tu resplandor —dijo Bertoul— es un rayo de luz. Estamos llegando al final del subterráneo.

La joven se volvió hacia él, que se había quedado inmóvil con los brazos caídos.

—¡Y ahora te veo a ti también! ¡Te veo como una silueta en medio de la sombra, pero soy capaz de distinguirte!

Completamente enardecida, corrió hacia la delgada luz que parecía derramarse desde el agujero bajo los helechos.

—Salvada… estoy salvada. ¡Puedo verlo todo! Incluso los colores. Hay algo verde ahí arriba. Y esa luz es la luz del sol.

—¡Chisss! —le avisó Bertoul reuniéndose con ella.

—Y mira ahí. Hay escalones de piedra. Podemos salir.

—¡Calla! ¡No hagas tanto ruido!

Pero ella se había puesto a dar unos pasos de baile y a canturrear, como si de golpe todos sus problemas estuvieran olvidados.

Bertoul la agarró del brazo tratando de impedir aquella manifestación de entusiasmo.

—Escucha —le dijo—. Hay un peligro ahí arriba.

Ella se paró en seco.

—¿Cómo lo sabes?

—Porque he estado antes. Volvamos atrás. Además, tu fardo está allá dentro.

—Ah, no. Yo no vuelvo a ese pasadizo. Me da miedo.

Aquella chica comenzaba a resultar tremendamente fastidiosa. Y ahora, además, suponía un riesgo. Porque si salía del hoyo y se topaba con la patrulla de soldados de Raoulet, bien podría revelarles la existencia del subterráneo y de él mismo allí dentro.

—Ven conmigo —insistió—. En todo caso, yo me voy de aquí.

—¿Y no podrías traerme mis cosas? —dijo la chica tratando de engatusarlo.

—Ni hablar —respondió él.

Y, a grandes pasos, se dirigió hacia la profundidad del pasadizo.

—Espera… no me has dicho por qué era peligroso…

Bertoul la oyó correr tras él, tratando de alcanzarlo. O queriendo quizá recuperar aquel gran bulto que olía a hierbas y flores.

—¡Aaahhh! —gritó ella una vez más.

¡Dios mío, qué cargante podía llegar a ser!

—Otra vez estoy ciega. No veo nada… Ayúdame…

Suspirando, Bertoul volvió junto a ella y le tocó el hombro. La chica se aferró a él.

—Estoy perdida —sollozó—. Vuelvo a estar ciega, no puedo reunirme con la señora de Tournissan, me he quedado sin hogar…

—Deja de gimotear. Me entran ganas de abandonarte aquí mismo.

—…Y el único ser humano que podría ayudarme es un patán incapaz de sentir un poco de compasión.

¡Un patán! ¿Y ella? ¿Qué otra cosa era sino una palurda, y de marca mayor?

—¿Cómo es posible que veas o dejes de ver así, de golpe? —exclamó él irritado—. Y deja ya de lloriquear.

Bien que mal, la joven consiguió tragarse las lágrimas.

—Llévame junto a mi saco, te lo suplico —rogó con recuperada dignidad—. Luego, por favor, condúceme hasta la escalera de piedra. Después ya me las arreglaré yo sola.

Bertoul la llevó hasta el hatillo, que ella volvió a acomodar en su brazo, luego volvieron a hacer el camino inverso. Y otra vez, en el mismo recodo del subterráneo, ella volvió a experimentar el mismo sobresalto:

—Estoy viendo de nuevo los rayos de luz —dijo con tono ahora tranquilo—. Quizá nunca he estado ciega, sino que, sencillamente, esto está completamente oscuro.

—No está *completamente* oscuro. Está bastante sombrío, todo lo más.

Al poco rato se hallaron al pie de la escalera de piedra.

—Gracias —dijo ella nuevamente sosegada—. Voy a salir y buscaré mi camino. Nunca olvidaré que me has salvado de este subterráneo tenebroso como una tumba. Habría podido morir en él. Siempre recordaré que estoy en deuda contigo.

Durante un breve instante pareció dudar. Luego añadió:

—Dime si puedo hacer algo por ti como agradecimiento.

—Sí —dijo Bertoul—. Puedes prestarme un gran servicio. Quizá al salir del subterráneo te encuentres con una patrulla en el bosque, cuatro hombres que me están buscando. Te ruego, si los ves, que no reveles la existencia de este pasadizo ni les digas que me has visto. Es todo lo que te pido.

—¿Que yo te he visto? ¡Pero si ni siquiera te he visto aún! Sólo a medias, entre sombras. No sé quién eres, ni lo que haces aquí. Incluso desconozco tu nombre. ¿Qué iba a poder decirles de ti? ¿Que llevas ese zurrón grande y pesado, con las esquinas formando un cuadrado y aspecto de contener, no sé, una especie de cofre o de…?

—¡No, no! No les digas que tengo este… este zurrón. ¡Eso menos que nada!

—Entonces es lo que ellos buscan, ¿verdad?

De golpe, fue como si ella se diera cuenta de que bien podía hallarse ante un fugitivo.

—¿Qué has hecho? ¿Eres un malhechor? ¿Qué es lo que has robado?

—Nada, absolutamente nada, lo juro por mi alma inmortal. Pero quieren jugarme una mala pasada. Si ves a esos hombres, por piedad, no les muestres este pasaje.

—Veo que los temes de veras.

—Los temo, sí. Tienen la misión de conducirme hasta un hombre cruel. Y si me encuentran no tendré la menor oportunidad de salvarme. Así que voy a permanecer aquí escondido durante algún tiempo.

—Te encuentro bastante raro. ¿No será que mereces realmente la horca? Pero lo dicho, dicho queda: no te voy a traicionar. Puedes creerme, soy una persona de palabra.

☾·SORTILEGIO·☽
para preparar la tinta de las cartas de amor

Toma una hoja de pergamino en blanco
y cúbrela, por ambos lados, con la siguiente invocación:
'Adán, Eva, igual que el creador todopoderoso os unió
en el paraíso terrenal con un vínculo indisoluble,
así el corazón de aquélla a quien yo escriba
me sea favorable y no pueda jamás rechazarme'.
Es necesario después quemar el pergamino
y recoger con cuidado toda la ceniza.
A continuación, toma una tinta que no haya sido utilizada,
viértela en una pequeña vasija de tierra nueva,
y mézclala con la ceniza y con siete gotas de leche
de una mujer que amamante a su primer hijo,
y añade una pizca de imán reducido a polvo.
Utiliza seguidamente una pluma nueva
que habrás tallado con una cuchilla también nueva.
Toda persona a la que escribas con la tinta así preparada,
estará dispuesta, tras leer tu carta,
a concederte todo lo que esté en su mano.

14

E N LA ENTRADA DEL CASTILLO se agolpaba una variopinta mul-
titud. Con sus vestidos de tela en tonos oscuros, azules o
crudos, los lugareños transportaban sobre sus cabezas y sus hombros, o bien a bordo de carretas, ingentes cantidades de vituallas para un banquete de varios días. Incluso los campesinos de
los alrededores estaban invitados a beber un cuartillo de vino y
a engullir asado y galletas con miel a la salud de los esposos. Todo aquello iba a costar un dineral, pero a los cuatro jóvenes señores les tenía sin cuidado: el novio había prometido pagar
hasta el último céntimo. De hecho, ya había vaciado un primer
cofre de escudos, que los hermanos rápidamente habían sabido
cómo gastar.

Con los siervos y los campesinos, pronto se mezclaron los
monjes y los abades, dignamente encaramados en sus monturas.

Finalmente, a caballo o en literas, los nobles, las damas y los
caballeros de todo el contorno, acompañados por sus escuderos,
sus perros y sus halcones, entraban en el patio con solemnidad
y sin apresuramiento, permitiendo que el populacho admirase los
hermosos trajes de fiesta, los brocados, los terciopelos y las sedas,
los oros y las joyas. El acento de los señores era fuerte, seguro
y cortés, y las damas tenían elegantes voces musicales y risueñas.
La boda de la jovencísima señorita prometía magníficos y

divertidos festejos, como no los había desde hacía mucho tiempo en toda la región.

Los cuatro hermanos, Gaubert, Gauderic, Gautier y Gaudefroi, apostados en la entrada, recibían a los visitantes y saludaban a cada cual según su rango. Lucían más que nunca sus famosas sonrisas, tan satisfechos estaban de la buena boda que habían conseguido. En cierto momento, la muchedumbre fue tal, que a punto estuvieron de no ver llegar a un suntuoso séquito que, no muy lejos del puente levadizo, intentaba abrirse paso entre los carros y las carretas.

—¡Hola! —gritó una potente voz—. ¡Dejen entrar al héroe del día!

—¡He aquí el feliz novio! —exclamó Gaubert.

Josce de la Bordonne, todo vestido de terciopelo granate, con la abultada barriga incómodamente encajada sobre la silla de su caballo blanco, las espuelas resplandecientes, tan brillantes como su calva bajo el sol, precedido por dos heraldos con sus enseñas y un atronador sonar de trompetas, esperó a que el puente levadizo se despejara del todo para hacer una entrada triunfal en el castillo de su prometida.

Tras él avanzó la tropa formada por los seis vástagos La Bordonne. Los dos hijos mayores, más viejos que la futura esposa, pues contaban diecisiete y dieciséis años, caracoleaban a lomos de sus alazanes. Les seguía una chica de doce años, un muchacho de diez y dos gemelas de cinco, todos igualmente a caballo, incluso las más pequeñas, bien plantadas en sus cómodas sillas. Las monturas, tranquilas y dóciles, eran conducidas por escuderos. Y como parte también de la familia, cabalgaban en sus mulas mansas unas cuantas nodrizas y un puñado de capellanes.

Toda aquella fina gente, adornada como los pasos de una procesión, avanzó lentamente en medio de un silencio sólo punteado por los ¡oh! y los ¡ah! de admiración. Los que colmaban el patio parecían haberse quedado mágicamente estáticos, como ante una aparición. Y no era para menos, pues eclipsaban todo el esplendor de los demás señores y damas presentes en la fiesta.

Los cuatro hermanos hicieron servir enseguida a todo el cortejo unas copas con hipocrás y otras bebidas refrescantes. Luego, todos descendieron de sus caballos y hubo un general abrazo de fraternidad entre los La Bordonne y los Flamincourt.

Cumplido el cortés protocolo, Josce de la Bordonne adoptó un aire de conspirador, estiró el cuello hacia sus cuatro futuros cuñados y, en tono confidencial, dejó caer:

—Ejem… ya sé que los esponsales no se celebran hasta mañana, pero me gustaría ver por fin a la novia que… ejem… que me habéis destinado.

Los hermanos asintieron entusiasmados, con un movimiento de cabeza tan bien coordinado como si en vez de cuatro fueran uno solo.

—Por supuesto. Está en aquella torre. Tened la bondad de seguirnos y haremos las presentaciones.

Una colorida procesión, toda adornada de sedas y terciopelos, subió por la escalera de caracol del torreón para acabar amontonándose, al final de la misma, en una exigua superficie que apenas podía calificarse de rellano.

El novio llegó detrás del hermano mayor, y fue seguido por el resto de los hermanos, así como por sus dos hijos mayores, curiosos e impacientes también por ver a su futura madrastra.

Gaubert golpeó repetidamente con su puño la maciza puerta de la habitación. No hubo respuesta. Ni siquiera una débil manifestación de alegría o desagrado.

—¡Blanche, ábrenos!

—Vamos, abre. ¿O prefieres que echemos la puerta abajo?

El guardián, entretanto, muy temeroso de contrariar a sus amos, dudaba si transmitir el mensaje que había recibido.

—Mi señor —intervino al fin—, la señorita pidió que no se la molestase durante todo el día, pues quería prepararse para la fiesta de mañana y también pasar algunas horas rezando.

—¡Rezando! ¡Lo que hay que oír! ¡Es ridículo!

—Rezando… ¡oh, es encantador! —se conmovió, por su parte, el novio.

—A esta hora, mi señor, quizá esté todavía dándose un baño —volvió a hablar el guardián—. Hace unas dos horas ordenó subir cubos de agua caliente que fueron vertidos en su bañera.

Una vez más, Gaubert martilleó la puerta, ayudado en la empresa por sus tres hermanos.

—¡Abre la puerta ahora mismo!

—¡Nuestra paciencia tiene un límite!

—Abre, tu prometido está aquí.

—Sí, y ha traído unos preciosos regalos para ti…

Eran, supuestamente, palabras mágicas. Pero no percibieron reacción alguna por parte de la joven. Al otro lado de la puerta persistía el mayor silencio.

Gaubert y Gauderic no tardaron en observar que la cerradura tenía echada la llave y el cerrojo estaba corrido. Pero eso no iba a detenerlos a ellos, fornidos mocetones que, a patadas y empellones, lograron finalmente que la puerta cediera. Los dos irrumpieron en la estancia, seguidos por Gautier y Gaudefroi, quienes se ocuparon de cerrar tras ellos lo que quedaba de puerta, impidiendo así la curiosidad, por otro lado legítima, de Josce de la Bordonne.

La habitación estaba vacía. El agua de la bañera, casi helada.

—¿Dónde se ha metido? —dijo Gaubert palideciendo.

Registraron todo el cuarto, escudriñaron cada rincón, examinaron el fondo de la bañera, buscaron tras las cortinas y los visillos y, contra toda lógica, incluso revolvieron en los baúles.

—Es evidente que no está —cuchicheó Gauderic.

—Blanche, ¿dónde te escondes? —comenzó a vocear Gautier antes de que sus hermanos le taparan la boca.

—¡Cállate, imbécil! ¿Crees acaso que esto es un juego?

—Bien, ahora salgamos sin decir nada. Tenemos que pensar. Primero alejemos al novio de aquí, luego interrogaremos a la guardia.

Salieron los cuatro de la habitación, uno detrás de otro, fingiendo estar muy divertidos y mirando con complicidad hacia la pieza vacía; luego colocaron lo que quedaba de la puerta sobre lo que quedaba de los goznes y se dirigieron al novio:

—Je, je, je, nuestra hermana aún no está preparada. ¡Qué le vamos a hacer, quiere estar perfecta para su boda! Vos debéis conocer sin duda cómo son las mujeres: que si el baño, que si los aceites y ungüentos para tener la piel suave, que si los perfumes y los peinados complicados… Y, además, ese vestido y esas enaguas tan difíciles de ajustar…

—Je, je, lo comprendo —aceptó Josce—. Ya lo creo que sí.

—Ahora volvamos. Todavía estará ocupada unas dos o tres horas, si no os molesta. Confío en que sepáis tener paciencia.

—Todo sea para bien —dijo Josce de la Bordonne con filosofía.

Y emprendieron todos el descenso hacia el gran salón, lo que no careció de dificultad, pues Josce de la Bordonne arrastraba un poco la pierna a causa de su reumatismo.

Después, tras dejar bien instalado a su huésped ante una mesa repleta de manjares y buen vino, los cuatro hermanos pretextaron diversos quehaceres y volvieron a subir a toda prisa para interrogar al guardián.

—¿Dónde ha ido? ¿Dónde está la idiota de nuestra hermana? ¿Es que cree que va a engañarnos con sus triquiñuelas fe-
meninas?

—Pero, mis señores, ¿cómo voy a saberlo? —respondió bal-
buciente el guardián.

—Ella no está en su habitación. No la has vigilado.

—Pero... ni mi compañero ni yo hemos abandonado esta
puerta desde que la señorita se encerró para tomar su baño.
Justo después de cerrar nos dio la orden de que no se la molestase a causa de sus oraciones.

—¡Imbéciles! —gritó Gaubert—. ¿Qué vamos a hacer si ha
desaparecido? Si no hay boda, ya podemos decir adiós a la ganga de tener a ese memo ricachón como cuñado. Hay que ocultarle
la verdad todo el tiempo que sea posible y encontrar a esa estúpida mientras tanto.

—Pero, ¿dónde habrá podido ir? —preguntó Gautier—. Y, sobre todo, ¿cómo lo ha hecho?

—No puede estar muy lejos —respondió el mayor—. No niego que haya un cierto misterio en todo esto, pero nada es inexplicable, ¿no es cierto? Lo seguro es que no está lejos y que tenemos que encontrarla lo antes posible.

—Y, por supuesto, con discreción. Nadie debe darse cuenta de
nada —concluyó Gaudefroi.

⚘SORTILEGIO⚘
para asustar a los lobos

Embadurna tu cuerpo
con estiércol de liebre
y los lobos te tendrán miedo
y huirán lejos de ti.

15

L A JOVEN ESCALÓ por las abruptas piedras que hacían las veces de escalera con mil esfuerzos, pues sólo podía agarrarse con una mano, mientras con la otra sujetaba el hatillo que, entonces más que nunca, parecía pesado y embarazoso.

Desde el oscuro fondo del pasadizo, Bertoul la vio auparse hacia la luz y salir al exterior tras apartar los helechos. Cuando sus pies desaparecieron, los helechos volvieron a ocupar su lugar.

Estaba nuevamente solo, en medio del silencio, algo más tranquilo. No obstante, juzgó prudente adentrarse un poco más en el subterráneo. En el interior se sentía más seguro.

Se sentó en la penumbra y decidió permanecer allí todo el tiempo que le permitiera la paciencia. Tuvo la idea de sacar su rabel y cantar alguna canción que le infundiera coraje y le ayudara a pasar el tiempo, pero enseguida cambió de parecer: existía la posibilidad de que los sonidos pudieran oírse en el exterior.

Para mantenerse ocupado, sacó del zurrón los rollos de pergamino en los que había transcrito sus canciones y se puso a examinarlos canturreando, a revisar las palabras, a considerar aquí y allá una modificación, un añadido, una variante.

De pronto, agudizó el oído. Al final del subterráneo, donde estaba la salida, alguien le llamaba:

—Músico, eh, músico…

Las palabras resonaron un largo rato en el pasadizo. Era la voz de la chica que había recobrado la vista.

Bertoul se levantó, pero permaneció al amparo de las tinieblas. Ella gritó un poco más fuerte:

—Músico, no sé cómo te llamas… ¿Me oyes? ¿Es que no quieres responderme?

Se produjo un silencio bastante prolongado.

—Te lo aviso, no pienso ir más adentro, pero tengo cosas que decirte.

De nuevo, el silencio.

—Estoy sola, por si eso te tranquiliza.

Finalmente, él suspiró y salió a su encuentro.

—No es necesario gritar tanto —dijo sobresaltándola.

—¡Ah! ¡Me has asustado!

—Lo siento.

—He decidido volver —anunció ella.

—¡Ya lo veo!

—Tengo una buena noticia para ti: no hay nadie en el bosque.

Bertoul se tomó un poco de tiempo para digerir la novedad. De modo que la patrulla de Guyon ya no estaba al acecho…

—¿Estás segura?

—Absolutamente. Cuando saqué, muy despacio, la cabeza por el agujero no vi a nadie. Después de salir me puse a caminar sin prisa, con la cabeza baja, como si estuviera buscando setas, pero sin olvidar mirar en todas direcciones. He recorrido todo el bosque y he mirado por todas partes. He descubierto huellas de caballos y las he seguido hasta la linde. He observado los campos que hay más allá y no he visto a nadie. Puedes creerme. Por eso he vuelto a bajar, para avisarte.

A Bertoul no dejaba de intrigarle, pese a todo, tanta buena voluntad.

—¿Por qué lo has hecho? —preguntó desconfiado.

—Tenía una deuda contigo —respondió ella con sencillez—. Me has guiado por el subterráneo cuando pensaba que iba a morir en la oscuridad, sin que nadie supiese dónde estaba. Me has salvado. Y ahora es mi turno permitirte salir de este agujero. Puedes confiar en mí.

En la penumbra, su apariencia era modesta y natural, pero satisfecha al mismo tiempo de su generosa iniciativa.

—¿Has hecho esto por mí? —se asombró Bertoul—. ¿Por gentileza?

—Por gratitud —corrigió ella.

—No creí que me ayudarías. En realidad, hasta hace un momento pensé mal de ti. Perdóname.

—¿Has tenido miedo?

—No —respondió—, no mucho. Para que el tiempo no se me hiciera muy largo, me puse a releer los textos de mis canciones.

—Bien, yo me vuelvo a la luz del día —dijo ella—. ¿Y tú? ¿Qué decides?

—Salgo también —contestó tras un breve instante de duda—. Nada bueno puedo esperar si me quedo en este subterráneo. Además, tengo una misión que cumplir.

—¿Qué misión es ésa? —preguntó ella mientras ambos alcanzaban la salida bajo los helechos.

En ese momento la joven se volvió hacia él. Un rayo de sol penetraba hasta la base de la escalera y por primera vez pudo ver el rostro del muchacho a plena luz. Un rostro adornado por una sonrisita que bien podía resultar molesta para sus interlocutores.

—Es mejor que no lo sepas. Las chicas sois demasiado curiosas.

Bertoul la empujó suavemente para que ascendiese antes que él por los bloques de piedra. Poco después emergían a la superficie y respiraban a pleno pulmón el aire fresco y soleado de un día de primavera que había reemplazado a la humedad de la noche. En los haces de luz que atravesaban el follaje revoloteaban nubes de insectos.

—¡Y pensar que habríamos podido quedar encerrados como ratas en ese túnel! —exclamó ella.

—Habrías acabado por salir, con o sin mi ayuda.

—En fin, puede que ahora tú estés en peligro —dijo—, pero yo también lo estoy.

—¿Y dónde piensas ir si ya no vas a Tournissan?

—Tengo que meditarlo. Pero lo principal es alejarme lo más rápido posible de estos parajes.

—¿De veras? ¿Y eso por qué? ¿Quién te amenaza?

—Tú no me has contado en qué consiste tu misión. ¿Por qué habría yo de decirte la razón de mi huida?

—De acuerdo —dijo él reconociendo la ecuanimidad de su respuesta—. No me debes nada y no te debo nada a ti.

—Separémonos como buenos amigos —propuso ella—. Si tú sigues por aquí, yo me iré por allá. Y si tú prefieres esa dirección, yo tomaré la contraria. Pero vamos a decidirnos deprisa. No quiero perder más tiempo.

—Más vale que primero te laves la cara, la tienes toda negra.

Las falsas cejas de carbón, deshechas por los roces y las lágrimas, habían dejado no pocas marcas. La muchacha se dirigió a un gran charco de agua clara y se lavó concienzudamente el rostro, que luego se enjugó, mal que bien, con un puñado de musgo que arrancó de la orilla.

Bertoul tuvo entonces una inspiración, fruto de un detalle que le vino a la memoria.

—Antes de que nos separemos —le dijo a la joven—, tal vez puedas darme una información.

—Veamos.

—¿Has oído hablar de una anciana señora llamada Blanche de Vauluisant?

La chica abrió los ojos como platos y dejó caer —una vez más— su hatillo. Luego frunció las cejas con aire desconfiado.

—¿Una anciana señora? ¿Estás seguro?

—Eh... la verdad es que no lo sé muy bien —confesó Bertoul—. La señora Hermelinda me dijo: «Si tienes dificultades, ve a buscar en mi nombre a Blanche de Vauluisant». Pensé que se trataba de una de sus amigas y que, por tanto, tendría su misma edad.

La joven se irguió ante él, muy recta, casi altanera, a pesar del tizne que aún le sombreaba el rostro, brillándole sus ojos azul-gris-verdosos con un extraño resplandor.

—Pues no es así. Yo soy Blanche de Vauluisant. Y tengo que irme cuanto antes.

Fue entonces cuando él dejó caer su fardo. Los instrumentos musicales emitieron un sonido discordante, sofocado por el espesor de la tela.

Allí estaban los dos, frente a frente, con los brazos caídos, mudos, percatándose de que ambos no eran sino un par de fugitivos, y de que la única ayuda que uno y otra habían confiado en recibir, acababa de esfumarse.

—Me dijiste que te llamabas *Almendrita* —farfulló Bertoul, y sus palabras sonaron como un reproche.

—Yo... tomé el apodo cariñoso que mi madre me puso cuando era niña —confesó Blanche.

—Blanche de Vauluisant. Así que eres tú. Perdón, mi señora. Quiero decir, que sois vos.

—Oh, eso no tiene ninguna importancia ahora. Ya no soy señora de nadie. Estoy huyendo porque mis hermanos quieren venderme… o, más exactamente, quieren casarme con un hombre viejo —al decirlo tuvo un estremecimiento de aversión— a causa de su dinero. Soy consciente de que no me está permitido elegir marido, igual que les sucede a las demás chicas, pero confiaba en refugiarme junto a la señora Hermelinda el tiempo suficiente para hacerles entrar en razón y lograr que me escogiesen un esposo… de una edad más… menos… mejor ajustada. Ella habría sabido convencerlos. Era una dama con poderes.

—¿Con poderes? ¿Para qué, mi señora?

—Es… era una noble dama. Durante mi infancia vino a menudo a mi castillo y me enseñó muchas cosas. Pero después de la muerte de mi madre, el pasado año, ya nada fue igual. Mis hermanos… quiero decir, mis hermanastros… han dilapidado todos los bienes de nuestro padre.

Hablaba entre dientes, con resentimiento, la cabeza gacha como un toro que va a embestir o un felino que se dispone a atacar.

—Yo dispongo todavía de la herencia de mi madre, las tierras de Vauluisant y su pequeño castillo. Pero, conociendo a esos cuatro irresponsables, no me extrañaría que antes o después intenten expoliarme. De momento, casándome, ya lograban un primer beneficio a mi costa: un cuñado rico con cuyo dinero podrían seguir manteniendo su vida de holgazanes.

—Vaya… pues si que… —se vio impelido a farfullar Bertoul, a quien le costaba asimilar de golpe toda aquella información y, más aún, calibrar sus consecuencias.

Estaba sentado sobre un tronco caído y ella se acercó a él, lo que hizo que se levantara de un salto.

—¿Qué pasa?

—No puedo estar sentado en presencia de una dama —contestó él bajando la cabeza.

—Oh, no seas estúpido. No soy una dama, soy una fugitiva. Después de todo, ¿qué es lo que ha cambiado de aquí a hace un rato?

—Pues… ha cambiado todo, mi señora.

—Siéntate a mi lado. Tenemos que salir de aquí rápidamente, pero es más urgente que hablemos y arreglemos las cosas entre nosotros.

Bertoul, obediente, se sentó junto a ella.

—En primer lugar, aún no sé tu nombre.

—Bertoul —respondió él—. Bertoul Buenrabel.

—¿Te llamas así de verdad?

—Mi nombre es verdadero, aunque creo que se trata de un diminutivo. En cuanto a mi apellido, me lo puse yo mismo cuando abandoné Tournissan, hace cuatro días.

—¿Has empleado cuatro días en llegar hasta aquí?

—Sí, mi señora.

—Oh, vale ya de cortesías. Tournissan no está más que a un día de marcha, menos aún si se va a caballo. Has debido de extraviarte o de caminar en círculo.

Él se encogió de hombros.

—En cualquier caso, no he encontrado a nadie que pueda informarme sobre el camino para llegar a París.

—¡Vaya, ahora conozco tu secreto! —dijo ella con tono triunfal—. ¡Quieres ir a París! ¿Y qué vas a hacer allí? No, no es que te lo vuelva a preguntar. Lo que pasa —añadió con aire malicioso—, es que yo sé cómo ir hasta la capital de nuestro reino.

La mirada de Bertoul se iluminó de pronto.

—¿De verdad? Tú… vos… mi señora… ¿os podría pedir respetuosamente que os dignarais indicarme el camino?

Ella movió la cabeza con un ademán a la vez divertido y contrariado.

—Veo que rebosas de buenas maneras…

Él volvió a levantarse, como si fuera un muñeco de resorte.

—Sé comportarme, mi señora.

—Vuelve a sentarte entonces.

Obedeció, una vez más, ante la autoridad natural.

—Escúchame, Bertoul Buenrabel —resopló ella con un tono cómplice y misterioso—. Tengo algo que proponerte.

—¿De… de veras? —dijo él con el corazón acelerado.

—Yo soy una fugitiva y tú eres un fugitivo. Tú me has ayudado y yo te he ayudado. Yo he perdido a la única persona que podía socorrerme y a ti puede decirse que te ha pasado otro tanto. Tú quieres ir a París y yo, en líneas generales, conozco la ruta. Así que esto es lo que te propongo, Bertoul Buenrabel: formemos un equipo.

—¿Qué? —exclamó él, que no había imaginado eso ni por un solo segundo.

—Los dos podemos ayudarnos mutuamente. Tus perseguidores buscan a un muchacho solo. Los míos buscarán a una joven solitaria. Si caminamos juntos, ni unos ni otros se fijarán en nosotros. Tendremos muchas más oportunidades de salir de apuros o, cuando menos, de pasar desapercibidos. ¿No estás de acuerdo?

Su tono era cálido. Inclinada hacia él, con ojos vehementes, pedía su aprobación.

—Yo… yo… yo no sé —balbuceó Bertoul—. Sois tan bondadosa al… al proponerme… este arreglo.

—Yo no soy bondadosa, sólo miro por mi interés —dijo ella con voz intencionadamente fría.

Bertoul hubiese querido reflexionar con rapidez pero no le resultaba posible. ¿Acaso Hermelinda de Tournissan no le había dicho: «Si tienes dificultades pide a Blanche de Vauluisant que te ayude»? Pues bien, la propia Blanche le acababa de proponer una especie de ayuda, aunque ésta no fuera seguramente la que doña Hermelinda había previsto.

—¿Y bien? —preguntó la joven.

—Estoy pensando.

—Pues no tardes demasiado —le apremió ella.

Si viajaba en compañía de ese joven músico, estaría mejor protegida, por poco que fuera. Además, parecía amable y gentil. Avispado y desenvuelto, incluso. Él iba a París. Pues bien, ella iría también. Sería una ocasión para visitar a la señora Tiphaine de Fontegrive, quien no sólo era una de sus madrinas, sino que, por lo que Blanche sabía, residía en la corte en calidad de dama de honor de la reina. Por qué no soñar… Ella se daría a conocer gracias a la voluminosa sortija con su sello, el de Vauluisant, que llevaba escondida en el equipaje; y allí, lejos de sus hermanos, sería admitida en la corte, acabaría por desempeñar un cargo importante y se casaría con algún noble señor allegado a la corona. Quién sabe si el rey en persona no sería el encargado de conducirla al altar a ella, la desdichada huérfana de noble linaje, maltratada por sus hermanos. En cualquier caso, si había una oportunidad, por pequeña que fuera, de escapar a la unión forzosa con Josce de la Bordonne, tenía que aprovecharla.

—¿Qué tienes que perder? —le preguntó a Bertoul—. Decídete ya. Hay que darse prisa.

—Mi señora, yo… yo no podría nunca… El respeto que os debo…

—Bertoul, está claro que debo proponerte otra cosa. Si formamos equipo, hemos de hacer un pacto. Para ti y para los demás, sólo soy una campesina. Simplemente vamos de pueblo en pueblo, con nuestros hatillos. Ninguno es más noble que el otro. Tú me deberás el respeto que todo ser humano debe a sus iguales y, en último extremo, el respeto que un chico debe a una chica, pero ya no más el que un plebeyo debe a una noble dama. ¿Has comprendido?

—Sí, mi señora.

—No me llames señora. Llámame *Almendrita*. O Blanche, como prefieras.

—Prefiero Blanche.

—Muy bien. Y trátame de «tú», no de «usted». Desde ahora somos dos viejos amigos que hacemos el camino juntos.

¿Dos viejos amigos? ¿Tan rápido? ¿Por qué? Bertoul se sentía confuso y turbado.

—¿Estás de acuerdo?

—Sí, mi se... sí, Blanche.

Ella se levantó con solemnidad y le tendió la mano.

—Choca mi mano como signo de alianza, Bertoul Buenrabel, el músico. Formaremos equipo hasta París.

Bertoul apenas dudó un breve instante. ¿Qué tenía que perder? Nada, aparentemente, salvo que a ella le diera por mostrarse desagradable. ¡Era una chica, a fin de cuentas! Una señorita noble que bien pudiera revelarse henchida de arrogancia. Acostumbrada quizá a tomar decisiones sin admitir réplica. ¡Y perseguida por su propia familia! Claro que también acababa de manifestarse como una joven fogosa y decidida... Bueno, ya se vería...

Golpeó, pues, su mano contra la mano de Blanche.

—Seremos compañeros —dijo—. Haremos juntos el camino. Y nos comprometemos a ayudarnos mutuamente en todo lo que sea posible hasta que lleguemos a París.

Con dos pequeñas ramas confeccionaron una cruz y, palma contra palma, hicieron su juramento solemne ante el improvisado crucifijo.

Seguidamente, cada cual con su equipaje al hombro, tomaron la dirección del pueblo de Panges, primera etapa hacia París.

A su espalda, en pleno mediodía, un búho ululó. Blanche no le dio importancia y Bertoul se preguntó si debía tomarlo por un buen presagio o como una advertencia. ¿Cómo saberlo con aquellos enigmáticos animales?

⟋SORTILEGIO·
para no ser herido en una batalla

Escribe sobre una lámina de hierro las palabras
'Ved la espada de Adonai y de Gedeón'.
Dicha lámina debe ser tallada
en forma de estrella de siete palmos.
La aromatizarás y la introducirás
en el pomo de tu espada.
Conseguirás herir a todos tus adversarios,
por muy protegidos y acorazados que estén.

16

PERO, ¿CÓMO HABRÁ PODIDO escapar? —se preguntó Gaubert en voz alta.

Los cuatro hermanos habían acabado por darse cuenta de que Blanche se había evadido por la pequeña escalera de las letrinas, que siempre habían creído tapiada. Pero ¿y luego?

—No hay más que una salida en el castillo, el portón con su rastrillo y su puente levadizo, y nosotros hemos estado allí todo el tiempo.

—Si hubiese intentado salir, la habríamos visto.

—¡Y además ha entrado gente sin parar, pero no ha salido nadie!

—Así pues, aún tiene que estar por aquí.

—Es necesario buscar por todas partes.

Gauderic asió por el peto a uno de los guardianes encargados de la vigilancia de Blanche.

—Toma a cuatro hombres y registra el castillo de arriba abajo hasta encontrar a la señorita.

—Respondes con tu cabeza —añadió el mayor.

—Y, sobre todo, hazlo con discreción —ordenó Gaudefroi—. Ninguno de los invitados debe sospechar nada.

—No ha podido abandonar este lugar, conque manos a la obra —concluyó Gautier—. Tenéis dos horas.

Sin embargo, dos horas después seguía sin haber ni rastro de la señorita Blanche.

Mientras los preparativos de la fiesta continuaban, a los cuatro hermanos se les consumía la sangre teniendo que aparentar buen humor para recibir a nuevas oleadas de invitados.

Josce de la Bordonne no sospechaba nada y, en su intento por matar el tiempo, vaciaba con tanto entusiasmo las copas de vino especiado que no tardó en alcanzar un notable grado de borrachera.

Cuando empezó a atardecer, se organizaron los alojamientos para la noche. En los establos, todos los caballos habían recibido los cuidados pertinentes. Se encendieron antorchas en los salones y en los patios.

Blanche no aparecía. Los cinco guardianes seguían con las manos vacías, a pesar de las terribles amenazas que los hermanos les lanzaban cuando, alternativamente, iban en busca de novedades.

Y llegó el momento en el que Josce, un tanto bamboleante, sostenido por sus dos hijos mayores, se dirigió hacia ellos.

—Todavía no he visto a mi prometida —les dijo.

Y se pasó la lengua por los labios, como si anticipara la posibilidad de verla al fin.

—Está rezando —le respondió Gaubert con tono arrogante.

En tanto que primogénito, era el portavoz de los hermanos, el jefe, el que tomaba todas las decisiones, incluida la de hablar o callarse.

—¿Es que se ha visto alguna vez una chica tan devota? —dijo asombrado el novio—. Creo que voy a enviarle a mi capellán, eso debería agradarle.

—Sería inútil —cortó Gauderic—. Nuestro propio capellán está ayudándole a rezar todas las oraciones necesarias.

—Incluidos los himnos —completó Gautier.

—Y sin olvidar los responsos —remató Gaudefroi.

Josce de la Bordonne arrugó sus ojillos, dubitativos y maliciosos, luego movió la cabeza como el que de pronto empieza a comprender algo.

—Encuentro muy extraño que me la ocultéis de este modo —dijo con tono desconfiado—. ¿Qué defecto tiene esta esposa que me habéis ofrecido, para que os empeñéis en que no la vea antes de la ceremonia? ¿Es bizca? ¿Es coja? ¿Tiene el rostro picado de viruela?

—¡De ningún modo! —protestaron los cuatro hermanos, sinceros por primera vez—. Es la más bella y hermosa joven de los alrededores, podéis preguntárselo a cualquier habitante del castillo.

—Bonita como la flor del manzano en primavera.

—Límpida como un arroyo.

—Suave como una ardilla.

—Y sensata como la que más.

Tan sensata que había escapado antes de ser atada de por vida a aquel espantajo.

—No me fío. Quiero verla —insistió Josce—. Enseguida. Esté rezando o no. Vestida de novia o no. Bonita o fea. Quiero saber inmediatamente qué tara abruma a esa chica a la que no queréis presentarme. Llevadme a su habitación.

Encolerizado ante tales palabras, Gaubert de Flamincourt se plantó ante el novio, los puños cerrados en actitud de pelea, y le soltó:

—¡Basta ya de suspicacias! ¡Sabed que esa idiota ha desaparecido!

En un primer momento, Josce no pareció asimilar bien la información, al tiempo que sus dos hijos echaban mano a sus puñales por si era necesario defender a su padre de aquellos cuatro energúmenos. Pero en pocos segundos, conforme la borrachera se disipaba, el semblante bonachón del futuro marido fue reemplazado por una máscara amenazadora.

—¿He comprendido bien? ¿Has dicho «desaparecido»? ¿Mi novia ha desaparecido?

—Estaba encerrada en su habitación, bien vigilada... —empezó a decir Gaubert con la cabeza gacha.

—...Y de pronto nadie sabe qué ha sido de ella —completó Gauderic.

—Pero tened un poco de paciencia, porque vamos a encontrarla... —habló ahora Gautier.

—...Ya que no puede estar en otra parte más que en el castillo —concluyó Gaudefroi.

La voz de Josce de la Bordonne se hizo entonces sibilante y glacial.

—Por vuestro bien, mis queridos galancetes, presentádmela antes de mañana por la mañana, porque si no, os podría costar muy caro haber roto una promesa de matrimonio. Vámonos, muchachos.

Los tres La Bordonne se fueron por donde habían venido, tan ofendidos como amenazadores.

Esta vez no había ya lugar para engaños o disimulos. Tragándose el orgullo y la vergüenza, los hermanos Flamincourt dieron la voz de alarma tanto a los servidores y soldados del castillo como a los propios invitados, y así todo el mundo se lanzó a la búsqueda de la novia en medio de la locura general y del mayor desorden. El castillo, desde los fosos a los desvanes, fue explorado hasta en sus más ínfimos rincones. Se registró incluso el pequeño almacén repleto de viejos utensilios, de cacharros y cestos rotos y de toneles reventados, que era la entrada al subterráneo, pero a nadie se le ocurrió ir más allá de aquel batiburrillo de objetos inservibles.

Seguía sin haber el menor rastro de Blanche de Vauluisant...

El amanecer sorprendió a todas aquellas gentes pululando por
el patio, presas de un tremendo disgusto. Los invitados se excu-
saban, la cabeza inclinada y la mirada huraña, por tener que marcharse. Audouin de Fougeray reunió a su séquito y lo hizo cruzar el puente levadizo rumbo a su castillo.

—Ponte al servicio de las damas, podrían necesitarte —le ordenó a Raoulet de Mauchalgrin—. Y sonríe con cortesía —añadió
al ver el semblante ceñudo y hosco de su aprendiz de escudero.

«Me alegro de que nos larguemos de aquí», mascullaba ma-
lévolamente Raoulet. «Una boda suspendida... ¡Nunca había visto nada tan divertido! Sí, volvamos deprisa a Fougeray, porque
tengo asuntos más importantes que resolver que el de asistir al
enlace de una doncella caprichosa.»

El castillo de Flamincourt se había quedado casi vacío. No permanecían en el patio, listos para partir, más que Josce de la Bordonne con sus hijos, heraldos, criados, capellanes, nodrizas,
halcones y caballos. Pero antes de hacerlo, blandió un puño
vengador hacia sus anfitriones.

—Dentro de diez días, o vuestra hermana y yo somos marido y mujer, o mi tropa atacará este agujero de ratas. Y, creed-
me, no voy a ser clemente. De este lugar no quedará piedra sobre
piedra. En cuanto a la pécora de vuestra hermana, me casaré
con ella, quiera o no, y le enseñaré quién es el amo. Naturalmente,
habréis de pagarme una indemnización, así como reembolsar-
me los gastos ocasionados, incluidos los de este banquete echado a perder y que será necesario renovar. De la dote tendremos
que volver a hablar para aumentarla como compensación a los
perjuicios y el ridículo que mi familia acaba de sufrir. Y no lo
olvidéis: ¡diez días!

EL SECRETO DE LOS BÚHOS

—¡Estaréis ante el altar antes de ese plazo! —le aseguró Gaubert en nombre de todos.

Josce volvió grupas a su caballo y todo su grupo cruzó, al trote de sus monturas y sin un solo saludo, el puente levadizo.

Cuando estuvieron a solas, los hermanos Flamincourt cruzaron largo rato sus miradas. Finalmente, se decidieron a hablar.

—Bien, no nos queda otro remedio que encontrarla sea como sea.

—No puede estar lejos.

—Seamos sensatos: es evidente que ha conseguido salir del castillo.

—Probablemente en algún momento en que estuviésemos distraídos.

—Aprovechando el continuo trasiego de la muchedumbre para franquear el puente levadizo.

—Tal vez oculta bajo su capa.

—¿A pie o a caballo?

—Cualquiera sabe.

—Yo me inclino a pensar que a pie.

—Pues yo creo más bien que a caballo. Con tantas idas y venidas de damas a lomos de jacas o palafrenes, bien pudo disimular su rostro bajo un velo.

—Enviaremos patrullas. ¿Hacia dónde se habrá dirigido?

—¿Que tal al castillo de la vieja señora de Tournissan?

—Buena idea. Enviemos a un mensajero.

—No. Será mejor que vayamos nosotros mismos.

Ordenaron ensillar cuatro caballos y, a todo galope, se presentaron en el nuevo feudo de Raoul de Mauchalgrin, quien les informó que la vieja dama ya no estaba en este mundo desde hacía varios días. En cuanto a Blanche, no tenía noticia de que se hubiese presentado en el castillo. Envió, no obstante, algunos emisarios a los pueblos de alrededor, pero todos regresaron con la misma respuesta: no se la había visto en lugar alguno.

Pasaron algunos días y la búsqueda de Blanche, por castillos y mansiones, por conventos y albergues, resultó baldía. Los cuatro hermanos Flamincourt comenzaron a inquietarse.

Les era preciso encontrar rápidamente una solución y se les ocurrieron unas cuantas. Por ejemplo, raptar a la menos fea de las jóvenes campesinas de su territorio y hacerla pasar por su hermana, dando a la verdadera por desaparecida para siempre. O, quizá, argüir que Blanche había sentido la vocación religiosa y se había consagrado al Altísimo en el convento de Santa Marta, pues… ¿quién iba a atreverse a disputarle a Dios una de sus monjas? También se les ocurrió la idea de proclamar su muerte y organizar los correspondientes funerales velando un ataúd lleno de piedras. ¿Qué podía reclamar el novio ante una muerte accidental? Por último, consideraron la posibilidad de comenzar ellos la guerra contra los Bordonne y aprovechar así el factor sorpresa.

—Eso estaría bien, pero no tenemos ni un centavo para contratar mercenarios —puntualizó Gautier.

—¡Tengo una idea! —proclamó Gauderic dándose una palmada en la frente—. En Virelet está a punto de comenzar la gran feria de primavera en honor de San Germán. La feria más concurrida de toda la región…

Miró a sus tres hermanos, pero en sus ojos de expresión bovina no leyó otra cosa que una absoluta incomprensión.

—¿No comprendéis?

—Eh… a decir verdad….

—Habrá muchísima gente, y eso significa que habrá muchos jugadores.

—Muchos jugadores, sí… ¿Y qué más?

—Todavía nos quedan algunos escudos —explicó pacientemente Gauderic—. Si nos los jugamos a los dados y hacemos nuestras apuestas con astucia, podemos fácilmente multiplicar esa suma por diez o por veinte.

—¡E incluso por cien!

—En tal caso podremos saldar la deuda con nuestro futuro cuñado, e incluso engatusarlo de nuevo con la boda, a la espera de que entretanto encontremos a esa idiota, que, por cierto, no se va a librar del correctivo que se merece.

—¡Pues vámonos ya! La feria comienza dentro de tres días y es mejor estar a pie de obra desde el comienzo de las partidas.

Y así, imbuidos de un repentino buen humor, con la sonrisa de oreja a oreja, dirigieron sus monturas hacia Virelet y su célebre feria.

⟨SORTILEGIO
para hacerse amar

Toma dos cuchillos nuevos y,
un viernes por la mañana,
ve a un lugar donde haya
lombrices.
Atrapa dos
y, con los dos cuchillos bien juntos,
córtales las cabezas y las colas.
Después toma lo que queda de los cuerpos
y vuelve a casa.
Sécalos y redúcelos a polvo;
luego, házselos comer a la persona elegida.

17

CUÁNDO VAS A DECIRME qué es eso tan pesado que llevas en el zurrón? —preguntó Blanche.

—Pero si ya lo sabes, son mis instrumentos de música —replicó Bertoul.

—Lo que yo sé es que hay algo más. Algo misterioso.

—Justamente. Y es un misterio peligroso.

—¿Lo dices de veras? ¿Es que hay algo más peligroso que la vida que llevamos en este momento?

Sí, decididamente no tenía remedio: ella era exasperante, sin que ni su bonito rostro moreno y afilado, ni sus ojos de fulgores cambiantes pudieran servir de paliativo. Latosa y cargante se mostró el primer día, y latosa y cargante seguía mostrándose día tras día…

Ella continuó con su interrogatorio:

—¿O es que no crees que podemos encontrar un peligro en cada recodo del camino?

—En todo caso, y después de tres días, no hemos visto ni a tus perseguidores ni a los míos. Y ya hemos avanzado un buen trecho en dirección a París.

—Di mejor en dirección a Virelet —le corrigió Blanche—. París está lejos y aún tenemos que atravesar antes unas cuantas ciudades. Pequeñas, grandes y medianas.

Tenían prisa por llegar a la pequeña ciudad de Virelet. Les parecía que estarían mucho más seguros en una ciudad franca, bien protegida por sus murallas, que en medio del campo, donde imperaba la autoridad de los nobles y señores, como aquellos de los que andaban huyendo. Estaban muy cansados por haber caminado tan aprisa como les fue posible, por senderos y terraplenes a menudo devastados por las lluvias del reciente invierno.

Sus fardos les resultaban cada vez más pesados y molestos. Por la noche, reposaban en ellos sus cabezas. Temían que se los robasen, y temían también una ojeada indiscreta del compañero de viaje. Ya dormidos, no veían a los búhos que, silenciosos y vigilantes, planeaban cada noche sobre ellos.

No eran más que dos vagabundos, dos seres errantes que lo habían perdido todo, o casi todo. Cada paso que daban podía encubrir un peligro. Por eso eran muy prudentes. Si les parecía oír un ruido de cabalgada tras ellos, corrían a esconderse entre los matorrales que bordeaban el camino. Por suerte, hacía buen tiempo y no habían tenido que sufrir más que dos o tres chaparrones, por el momento.

En alguna granjas solitarias, Bertoul cantaba y tocaba sus instrumentos, y Blanche le acompañaba al tamboril. De esa manera se ganaban la comida y, alguna que otra vez, como cuando les permitieron dormir en un confortable henil, el alojamiento.

Se aseaban todo lo bien que podían en los arroyos, y se frotaban los dientes con las primeras hojas de menta que brotaban en el borde de las zanjas.

Su inesperada asociación no había resultado, finalmente, un mal acuerdo, a pesar de los enojosos comentarios de la chica, pensaba Bertoul. Casi había olvidado que Blanche pertenecía a una clase superior. Quizá por la modestia de su vestimenta. O tal vez por su lenguaje sencillo. O por el hecho de que en todo momento se había mostrado leal con él. Si no fuera por su insaciable curiosidad respecto al objeto misterioso del que sólo podía discernir la forma cuadrada dentro del zurrón... Pero sus labios estarían sellados acerca del secreto de la señora Hermelinda. Nunca le revelaría nada.

—¿Me dirás qué es lo que llevas antes de que lleguemos a París?

—De ningún modo.

—¿Y por qué es tan peligroso?

—Porque pesa una maldición.

—¡Oh! Una maldición...

Pero no pareció que la palabra le asustase, sino más bien al contrario:

—Eso sí que es interesante...

Bertoul le lanzó una mirada de reojo. Si había esperado meterle miedo y hacerla callar con su respuesta, se había equivocado por completo.

Con su tono más malicioso, Blanche volvió a la carga:

—Y a mí que me gustaría saber algo más sobre esa maldición...

—No te lo aconsejo: provoca desgracias a los indiscretos —replicó Bertoul poniendo punto final a la cuestión.

Blanche lamentó no conocer la fórmula para poder leer en las mentes o para ver el contenido de los cofres y los zurrones cerrados. Para lograrlo, según había oído decir, se necesitaba una mandrágora. Pero ignoraba qué clase de hierba era o a qué se parecía. La señora Hermelinda sí que sabía toda esa clase de cosas.

Pero no se daba por vencida. Un día u otro, su curiosidad acabaría por ser satisfecha.

El sol iluminó la hierba naciente y las flores blancas de los setos. Un arroyo lanzaba destellos saltando de piedra en piedra.

Les pareció que era una invitación de la primavera y se sentaron en la orilla para descansar un poco y remojarse los pies. Blanche revolvió en su equipaje y sacó un pequeño tarro que contenía un extracto de hierbas.

—No queda mucho —dijo—, pero sí lo suficiente para frotarnos los pies antes de seguir.

¿Cuándo tendría ocasión de preparar otros ungüentos? La pomada les hizo bien, y enseguida se sintieron dispuestos para volver al camino, no sin antes dirigir una prolongada y atenta mirada a los alrededores. No había amenaza a la vista. Ni Raoulet, ni los hermanos Flamincourt.

—Estaría bien —dijo Blanche, echándose el fardo a la espalda— que buscásemos dónde comprar un caballo.

—¿Un caballo? Pero… yo no sé montar.

—Pero yo sí —replicó Blanche—. Podríamos montarlo juntos o por relevos. Yo puedo enseñarte, no es muy difícil. Además llevaría nuestro equipaje.

—Ya, pero… —murmuró Bertoul, para quien los caballos estaban reservados a los señores y los soldados.

—Iríamos mucho más deprisa.

—No tenemos dinero —recalcó Bertoul, que no estaba dispuesto a mermar el pequeño caudal que llevaba oculto en las suelas.

—Voy a decirte un secreto —susurró Blanche.

—No te he preguntado nada, y si lo haces para averiguar lo que llevo en mi zurrón, que sepas que no cambio tu secreto por el mío.

—Voy a decírtelo de todos modos —replicó ella en absoluto desanimada—. Yo puedo comprar un caballo. Tengo dinero. O, mejor dicho, tengo joyas. Y son bastante valiosas. Por suerte, mis hermanos no les han echado la zarpa encima. Mi madre me recomendó con acierto que nunca se las mostrara. Si hubieran sabido de su existencia, hace tiempo que las habrían vendido para sufragar sus estúpidas juergas. En fin, el caso es que las tengo. Y voy a vender una, una de las más pequeñas, para comprar una montura.

—¿Por qué me has contado todo eso? Eres una inconsciente, señorita Blanche de Vauluisant. No sabes nada de mí. Soy un vagabundo. Y te he contado de mí lo que he querido. Podría ser un bandido, podría robarte tus posesiones y huir. Incluso podría asesinarte.

—¿Lo harías?

—¿Y tú qué sabes?

—Hay algo que me inclina a tener confianza en ti. Te encuentro leal. Y me has dado pruebas. No podría decir otro tanto de muchos señores, jóvenes y viejos, algunos incluso de mi propia familia.

Su mirada, mientras hablaba, desprendía tanta convicción, que Bertoul se quedó atónito.

—En mi opinión —continuó ella—, bien podrías hacer el aprendizaje de caballero. Lo mereces.

—Muchas gracias. Pero sólo soy músico y menestral, hijo de campesinos y, bien mirado, hasta contento de mi suerte, si no fuera por ese maldito Raoulet de Mauchalgrin, que ojalá haya perdido ya mi rastro. Y en cuanto cumpla con mi misión...

—¿Qué misión?

¡Dios santo, qué irritante podía llegar a ser! Pero si creía que se iba a traicionar, perdía lamentablemente el tiempo...

—Vale, no contestes. Pero reconoce que lo del caballo es una buena idea, ¿no?

—Probablemente lo sea —respondió él—. Aunque no estoy muy seguro.

Le había conmovido que ella lo considerase digno de ser un caballero. Aunque... ¿qué había hecho de extraordinario para eso?

Sonrió, no obstante. Y pensó que, decididamente, habían hecho bien en aliarse.

⤳SORTILEGIO
para tener una bonita tez

Reúne estiércol de lagarto,
huesos de jibia, sedimento de vino blanco,
raspaduras de cornamenta de ciervo,
coral blanco y harina de arroz.
Tritúralo todo concienzudamente en un mortero
y tamízalo bien.
Tenlo a remojo toda una noche en agua destilada
a partes iguales con almendras,
babosas y flores de gordolobo.
Añade una cantidad similar de miel blanca
y vuelve a triturar.
Esta mezcla deberá ser conservada con cuidado
en un recipiente muy limpio de plata o vidrio.
Frótate luego con ella el rostro, las manos o el escote,
y conocerás infaliblemente
los beneficios de este secreto.

18

E H, AHÍ! ¿Quién canta con tan buen estilo?
La tarde se consumía. Bertoul y Blanche bordeaban una
zona de espesos matorrales y bosques oscuros. Seguían sin ver ni
rastro de Raoulet o de sus hombres armados, ni de los hermanos Flamincourt o del novio despechado. Por eso, y para ani-
mar la caminata, se habían puesto, osadamente, a cantar a plena voz.

Llevaban recorridas desde esa mañana no menos de cuatro
leguas por caminos mal trazados, a veces pedregosos, a veces surcados por huellas de carros. Se detuvieron en seco al oír la in-
terpelación.

—¡Eh, ahí! ¿Quién canta así y puede caminar tan deprisa?
¡Acércate, compañero! ¡Y también tú, muchacha! Venid a ayudarme…

Vieron entonces a un hombre regordete, de rostro sonroja-
do, bien vestido, hundido entre dos espinos del seto. Avanzaron con mucha prudencia. No, no había riesgo de que ese ato-
londrado formara parte de sus perseguidores.

—¿Qué ocurre? —preguntó Bertoul.

—Ayúdame a levantarme, hijo mío. He perdido el equilibrio
y no acierto a sujetarme sobre mis piernas… Ah, la edad… Os
deseo que tengáis salud cuando lleguéis a mi edad, mis jóvenes

amigos —dijo el hombre con voz sonora, aunque ligeramente atropellada.

Sostenido de un lado por Bertoul, y afianzado del otro por Blanche, el hombre consiguió, no sin esfuerzo, sujetarse sobre sus temblorosas piernas. Una cantimplora yacía no lejos de allí, al borde del camino.

—Estaba tomando un trago de mi viejo remedio para ayudarme a hacer la ruta, cuando, paf, de golpe me vi por los suelos. ¡Ah, mis pobres piernas! Están entumecidas…

—Ya veo —dijo Bertoul—. Bien, ahora estáis de pie, así que todo solucionado.

—Alcanzadme también mi cantimplora, vosotros que os podéis agachar sin problema. Seguro que tú no tienes reúma. Y tú, muchacha, tampoco. Ah, qué suerte ser joven… Gracias. Vaya, está vacía. Qué lástima, os pensaba ofrecer un poco. Es un remedio muy bueno, y el boticario me hizo una preparación especial con muchas hierbas contra la fatiga. Hierbas de San Juan, que son las mejores.

«Y también con mucho vino…», dedujo silenciosamente Bertoul con una media sonrisa.

—Pues no, no queda ni una gota —prosiguió el bebedor, con la cabeza inclinada para apreciar si quedaba algún resto estancado en el fondo del recipiente—. Nada de nada. ¡Qué contrariedad! ¿Cómo voy a reunirme con los otros si ya no tengo el remedio que me ayuda a caminar?

—¿Qué otros? —preguntó Bertoul súbitamente en estado de alerta, mientras Blanche, a su vez, se quedaba tensa e inmóvil.

—Pues los de la caravana, naturalmente. No vamos muy deprisa, ya os podéis figurar. Llevamos dieciséis carromatos cargados hasta la mitad de hermosos tejidos de Italia, y de barricas de aceite la otra mitad. Una pena que no sea buen vino de Provenza. En fin, llevamos estas mercancías a París, junto con algunas especias de Oriente, que no ocupan demasiado lugar, así como aceite de rosas del Mediterráneo para fabricar perfumes para las damas. Muchachita, estarías encantada de poder acercar tu nariz. Hermoso cargamento, ¿no es cierto, amigos míos? Yo iba a la cola del convoy cuando me caí, pero pronto lo alcanzaré.

—¿Pronto? —se extrañó Bertoul.

—Pues claro —dijo el grueso hombrecillo—. En cuanto haya recuperado mi equilibrio. ¡Huy!, por poco no me caigo otra vez. Déjame tu brazo, gracias. Y tú el tuyo, por el otro lado. Bueno, ahora en marcha...

Algo aturdidos, y enrolados a su pesar, Bertoul y Blanche sirvieron de bastón de apoyo al dicharachero comerciante.

—¿No tenéis un poco de beber en vuestros odres? ¡Ah, es sólo agua! Bueno, tanto peor. Me llamo Pierre Colmieu —se presentó el hombre a los dos jóvenes—. Formo parte de un grupo de seis mercaderes que nos hemos agrupado en un convoy para llevar de un sitio a otro nuestras valiosas mercancías. Primero pasamos por Poitiers, donde el conde en persona esperaba con impaciencia nuestras preciosas sederías italianas.

Bertoul y Blanche intercambiaron una mirada de entendimiento mientras Pierre Colmieu continuaba:

—Siendo varios, podemos reforzar nuestra seguridad. ¡Hay tantos bandidos! ¡Espero que vosotros no lo seáis!

—En absoluto —dijo Bertoul muy serio.

—¡Yo soy una chica! —protestó Blanche al mismo tiempo.

—¡Oh, eso no significa nada! —dijo Pierre Colmieu—. Se ha visto de todo, incluso mujeres que forman parte de bandas de salteadores. Dicho lo cual, añadiré que nosotros no los tememos. Hemos contratado los servicios de una pequeña tropa de soldados. ¿Estáis seguros de que no tenéis un poco de vino en alguna cantimplora? ¿Lo habéis mirado bien? Tengo algo de sed, sin duda a causa de mi caída. ¿Qué me estabais diciendo?

—¿Nosotros? Nada. Hablabais vos de vuestros soldados.

—¡Ah, sí! Nos ayudan cuando nuestros carromatos se atascan, se encargan del fuego para cocinar la comida, y nos protegen, de noche, de los bandidos y los lobos mientras dormimos al raso o bajo los carros. Lógicamente, evitamos entrar en las ciudades.

—¿Por qué «lógicamente»? En las ciudades os podríais alojar confortablemente en una posada y vuestras mercancías estarían protegidas —observó Blanche.

El mercader puso el grito en el cielo.

—¡Ni hablar! ¡Ni hablar! ¡Al precio que están los peajes! ¡Y no digamos las hosterías! ¡Nos comeríamos todos los beneficios! ¡Bastante tenemos con pagar el peaje de los puentes! Además, las ciudades están plagadas de ladrones. Hay menos riesgos dejándolas a un lado.

Mientras hablaban, una caravana de pesados carromatos tirados por bueyes apareció, todavía a cierta distancia, ante su vista.

—¡Ah, ahí están vuestros compañeros! —exclamó Bertoul—. ¡Pero hay muchos más de seis!

—Seis somos los comerciantes asociados, pero también viajan algunos hijos, sobrinos y aprendices —explicó el buen hombre—. Y hay que contar también a los conductores de los bueyes. Y a un monje que se sumó a nuestro grupo hace algunos días y que nos sirve de capellán.

En ese instante, Pierre Colmieu tropezó y se agarró al zurrón de Bertoul, cuyo contenido dejó escapar una colección de sonidos.

—¿Qué es todo eso? —preguntó el hombre.

—Yo soy músico —contestó Bertoul—. Y mi hermana Blanche canta conmigo. Llevo mi rabel en el zurrón. ¿Queréis verlo? Tengo también una flauta y Blanche toca el tamboril. Somos menestrales, nos ganamos la vida cantando. Y esperamos llegar a París.

—Así es —confirmó Blanche—. Yo canto canciones para las damas, y mi hermano canciones de guerra.

—También canto a menudo canciones de amor —le corrigió Bertoul.

—¿De veras? —Pierre Colmieu parecía contento de haberlos encontrado—. Pues bien, creo que podríais hacer un tramo del camino con nosotros y entretenernos por la noche al calor de la hoguera. Sería un alivio cambiar por unos días los salmos, los rezos y las exhortaciones de nuestro monje.

La distancia que los separaba del convoy fue disminuyendo, a pesar de que Pierre Colmieu, dando ligeros traspiés, no podía andar muy deprisa. Pero la caravana era aún más lenta, pues el camino, estrecho, pedregoso y lleno de baches se hallaba en un pésimo estado. Apenas debía avanzar dos o tres leguas por jornada.

Bastó algo menos de una hora para que el mercader y sus dos improvisados ayudantes alcanzaran la última de las carretas, protegida por la retaguardia de los soldados.

—¡Eh! ¡Esperadnos! —gritó Pierre Colmieu—. ¡Me habíais dejado atrás!

—Pero, señor Colmieu, ¿acaso habéis vuelto a perder el equilibrio?

—Pues sí, y estos jóvenes me han ayudado a sostenerme.

—Ciertamente, no era vuestra cantimplora la que hubiera podido hacerlo —dijo el soldado entre dientes, mientras sus compañeros reían por lo bajo.

—¡Ah, burlaos, burlaos, inculta soldadesca! ¡Ni siquiera habéis sido capaces de daros cuenta de que la caravana no estaba al completo! En fin, os perdono. Como todas las demás veces.

Los hombres de armas reían ahora a mandíbula batiente, mientras alcanzaban a Pierre Colmieu las riendas de un caballo que él se apresuró a montar.

—Venid conmigo —dijo el mercader volviéndose a Bertoul y Blanche—. Os voy a presentar a mis amigos.

Les hizo remontar toda la caravana y, a medida que los alcanzaban, les fue presentando al jefe de los comerciantes, Gillaume Magnier, a sus otros cuatro socios y a los diecisiete jóvenes ayudantes, al tiempo que les indicaba el contenido de cada carro y su valor. Por último llegaron a la altura del hermano Hugonet, quien gustaba de ir solitario y en cabeza, murmurando oraciones como si así facilitase el camino del convoy. Los mercaderes y la mitad de los soldados iban a caballo, los demás caminaban gallardamente a pie.

—¿Haréis el camino con nosotros? —le preguntó Pierre Colmieu a Bertoul—. No os haremos pagar la comida a cambio de que nos divirtáis en las veladas nocturnas, y dormiréis bajo los carros como los demás jóvenes. Imagino que sabrás defender a tu hermana de esos galancetes, ¿no es cierto? Je, je… Bien, ¿qué me decís entonces?

A Bertoul le agradaba la idea. Contar con semejante protección frente a las patrullas de Raoulet no era cosa despreciable, siempre y cuando el joven noble aún estuviera empeñado en conseguir el libro. Mezclarse y confundirse con los jóvenes de la caravana no sería difícil y, por otra parte, los hombres de Raoulet ni siquiera le conocían. En cuanto a Blanche, seguro que a sus hermanos no se les ocurriría la idea de buscarla entre un grupo de mercaderes.

Béatrice Bottet

—¿Qué piensas tú, Blanche?

—Creo que es muy buena idea —aprobó ella, mientras Pierre Colmieu se impacientaba esperando la respuesta.

—¿Qué, os habéis decidido ya?

—De acuerdo. Haremos un trecho del camino con ustedes —dijo Bertoul.

—¡Bravo! ¡Buena decisión! —dijo el comerciante con una amplia sonrisa—. No lo vais a lamentar, y mis amigos y yo tendremos nada menos que dos menestrales para nosotros solos. Las veladas serán menos tristes y la ruta se hará más corta.

—¿Queréis que comencemos ahora mismo?

—¿Y por qué no?

Bertoul sacó el tamboril de su zurrón y se lo entregó a Blanche. Luego tomó el rabel y lo apoyó en su cadera. Comenzó tocando una alegre tonadilla, no demasiado rápida, con el acompañamiento de Blanche. Después cantó una bonita balada que narraba los amores de una tal Margoton y de su enamorado Jeannot, el del Traje Verde.

Los jóvenes fueron enseguida a reunirse alrededor de los músicos. Y muy pronto todos cantaban a coro el estribillo de la canción. Tarea en la que destacaba Pierre Colmieu, quien muy animado después de un buen trago de su maravilloso remedio, hacía gala de una voz potente como pocas.

El camino se les hizo a todos más corto, y dos horas antes de la puesta de sol la caravana se detuvo en un amplio claro para instalar el campamento nocturno.

⚮SORTILEGIO⚮
para que dure la amistad

Toma en la mano derecha esa hierba llamada **nébeda**
y consérvala hasta que esté caliente
mientras recitas:
'Hierba que tengo en la mano, haz que mi amistad
por esa persona —la nombras— crezca cada día,
siempre más fuerte,
que cada mañana sea más grande y así,
cada vez más grande y más fuerte, hasta el final.
Que así sea'.
A continuación, **llevando la hierba contigo**,
ve a buscar cuanto antes a la persona
con la que deseas tener esa amistad.
Dale la mano.
Después, cuando os hayáis separado,
vuelve a tu casa y guarda las hierbas
en un pequeño saco de tela.
Mientras lleves ese saquito contigo,
la amistad perdurará.

19

ALREDEDOR DE LA CREPITANTE hoguera, bien envueltos en sus capas, se apretaban los seis comerciantes y sus aprendices. Los soldados les rodeaban, haciendo sus rondas, aunque muchos de ellos se giraban a menudo en dirección al fuego para contemplar el espectáculo.

Los bueyes, desatados, masticaban melancólicamente su ración de heno muy cerca de los bien alineados carromatos.

Ya hacía largo rato que era noche cerrada, y todos habían cenado copiosamente, gracias a la sabrosa carne del jabalí que los soldados habían cazado el día anterior.

Bertoul era el único que estaba de pie, cerca de la fogata, con la misión de entretener a sus nuevos compañeros. Blanche, encargada de guardarle su zurrón, le había prometido no ser indiscreta, y, por tanto, no mirar en su interior, ni tan siquiera palparlo para intentar adivinar qué podía ser aquel objeto de esquinas cuadradas. Era el segundo día que viajaban con la caravana.

En primer lugar, Bertoul cantó acompañándose con sus instrumentos. Interpretó la canción de la triste aventura del caballero del estandarte desgarrado, vencido pero valiente, a quien el perdón del rey había rehabilitado. Le siguieron, acatando la ardiente petición de los jóvenes, varias canciones de amor. A continuación, fue tomando prendas y objetos de unos y de otros, y disfrazándose bien de anciana, bien de soldado, o de vaca mugiente, o de caballero arrogante, al tiempo que mimaba y contaba la historia de cada cual. Historias que arrancaron lágrimas de risa a sus espectadores, cada vez más contentos de tener a aquella pareja en su expedición.

El viaje se anunciaba mucho menos monótono de ahí en adelante, y los hijos y los sobrinos de los comerciantes se hacían ya el propósito de pedirle a Bertoul que les enseñara sus romances de amor para deslumbrar a las chicas cuando regresaran a sus hogares.

El fuego se fue debilitando hasta quedar reducido a un montón de brasas. Era la hora de irse a dormir. El capitán de los soldados impartió sus órdenes: siempre era él quien organizaba la distribución nocturna de todos los componentes de la caravana, así como los turnos de guardia de sus hombres.

Poco a poco los ruidos se fueron acallando. Sólo se oían ya los chasquidos de la lumbre, los débiles murmullos de conversaciones que preceden al sueño, el ulular de algunas aves de la noche y los continuos roces ocasionados por los conejos y demás animales pequeños. Los comerciantes fueron los últimos en abandonar la cercanía del fuego. Bertoul recuperó su apreciado zurrón y guardó en él sus instrumentos. Blanche se ciñó bien la capa en torno a su cuerpo.

La voz del monje se alzó entonces, con algo de reprobación:

—No olvidemos rezar a nuestro Creador antes de concluir la jornada. ¡Cuán fútil habrá encontrado Él todas esas risas, cánticos y necias diversiones a que os habéis entregado, en lugar de esforzaros por preservar vuestras almas del demonio y de las malas influencias! ¡Arrepintámonos de nuestra ligereza y pidamos humildemente perdón por nuestras faltas, porque en este día han sido particularmente numerosas!

—Hermano Hugonet, vos sabéis tan bien como todos nosotros que la tristeza es el octavo pecado capital* —intervino Guillaume Magnier con sosegada autoridad.

Mordiéndose los labios, el hermano Hugonet dirigió una mirada incendiaria y tétrica al que había osado contradecirlo y alzó un dedo hacia el cielo antes de proseguir con su diatriba.

—Roguemos al Señor que aleje de nosotros al diablo porque está muy cerca, lo sé y lo he sentido, y esta noche ha intentado con sus frívolas maniobras distraernos de lo que debiera ser nuestra única preocupación: la oración que nos haga merecedores del perdón de nuestras faltas.

Bertoul se sintió claramente aludido y dirigió su mirada a Blanche, que se limitó a encogerse de hombros.

—Mañana —prosiguió el monje—, cantaremos menos y oraremos más por la salvación de nuestras almas. Mientras, roguemos para que el diablo se aleje.

Todos se pusieron de rodillas y corearon las largas y austeras oraciones entonadas por el hermano Hugonet.

Por fin, después de una extensa homilía acerca de la necesidad de luchar contra la impiedad y contra las seducciones del maligno, el monje hizo señas de que había llegado la hora de acostarse y todos suspiraron de alivio, no sin antes haber encomendado una última vez su alma a Dios.

Pero la pesadumbre no había terminado aún para Bertoul. Se dirigía hacia uno de los carros, a cierta distancia de Blanche, cuando el hermano Hugonet le salió al paso agarrándolo por una manga.

---

* La Iglesia católica llama «pecados capitales» a siete vicios o faltas que considera particularmente graves, y que son: la avaricia, la envidia, la soberbia, la ira, la lujuria, la gula y la pereza. Durante la Edad Media se añadió espontáneamente por parte de algunos un octavo pecado: la tristeza.

—¿Qué has venido a hacer entre estos piadosos mercaderes, muchacho? ¿Has venido a distraerles de su salvación con tus frívolas cancioncillas y su continua evocación de las mujeres, esas eternas pecadoras? ¿Eres un enviado del demonio?

Bertoul no supo qué contestar. Todas aquellas ideas estaban muy alejadas de cuanto había oído en Tournissan, donde todos eran buenos cristianos, pero nadie renunciaba al placer de cantar y reír, e incluso, si era el caso, de amar.

—No respondes. Así pues, tu alma no está limpia y bien podrías ser un agente del diablo.

—Yo no soy más que un pobre menestral —protestó Bertoul.

—¡No me engañas! Y qué decir de la chica… Ya me ocuparé de ella más tarde —prosiguió el monje—. Las mujeres son el fermento del pecado y las aliadas del diablo. ¡Puedo oler la brujería en el aire! ¿Has oído hablar de sortilegios? ¿De hechizos? ¿De libros de magia?

—¿De… de libros de magia? —repitió Bertoul con un débil murmullo.

—Hechizos arrojados sobre las buenas gentes, maldiciones que se extienden por una región, horribles maleficios, fórmulas para elaborar venenos y pócimas…

—Yo no entiendo nada de eso —dijo Bertoul agobiado.

—Vamos, hermano Hugonet, dejad a nuestro amigo tranquilo —intervino en aquel momento el bonachón de Pierre Colmieu, tras el cual se refugió Bertoul a toda prisa.

El hermano Hugonet frunció los labios hasta que su boca no fue más que una fina línea curvada en sus extremos.

—Ven conmigo —dijo Pierre Colmieu a Bertoul, llevándoselo de allí.

—Algún día os arrepentiréis por no haber honrado a Dios —predijo el monje, alzando de nuevo su índice hacia el cielo.

—No te dejes impresionar por ese pobre aguafiestas —dijo Pierre Colmieu confidencialmente—. ¡Estos monjes errantes son todos iguales y si por ellos fuera estaríamos expiando nuestros pecados cada segundo! ¡Siempre es lo mismo desde que está con nosotros! Lo mejor es no escucharlo y evitar dejarse enganchar por él. Si se puede...

—¡Pero es un hombre de Dios! —protestó Bertoul.

—¡Oh, no del todo! Estos monjes no han recibido las sagradas órdenes y apenas conocen algo de las Santas Escrituras. Repiten mecánicamente sus exhortaciones y amenazas, pero en el fondo no son mas que unos ignorantes amargados.

Bertoul iba de asombro en asombro ante el hecho de escuchar un discurso tan frío y crítico a propósito de un hombre de la Iglesia, pero se sintió más tranquilo. Que transportase un libro de magia no le convertía en un emisario del diablo.

Blanche lo esperaba junto a los carromatos.

—¿Qué estabas haciendo? —le preguntó.

—El hermano Hugonet quería hacerme confesar que tú y yo somos un tanto diabólicos —respondió con voz fatigada.

Bajo las ruedas de uno de los carromatos, junto a algunos de los jóvenes aprendices, encontraron un lugar donde echarse a dormir, bien envueltos en sus capas. La cabeza de Blanche reposaba sobre su hatillo de hierbas y tesoros, la de Bertoul sobre su zurrón, casi en contacto con el manuscrito del rubí. Estaban uno al lado del otro, tan cerca que Blanche pudo susurrar en voz muy baja al oído de Bertoul:

—No me gusta nada ese monje. Decir que somos diabólicos... Creo que sería mejor que dejásemos la caravana y continuásemos por nuestros propios medios.

—Pero, Blanche —dijo él en voz aún más baja—, tú sabes que mientras permanezcamos en este convoy estaremos a salvo de tus hermanos y del joven Mauchalgrin. Los comerciantes nos aprecian y estamos rodeados de soldados.

—Es la mirada fanática de ese monje lo que me inquieta —insistió Blanche—. Se posa sobre nosotros como una acusación.

Bertoul intentó tranquilizarla:

—Pero entre ese monje y nuestros perseguidores, la elección parece clara, ¿no te parece?

—Sí —dijo ella tras un instante de reflexión—. Tienes razón. Debe ser que ahora veo peligros por todas partes.

—No te inquietes más —susurró Bertoul antes de desearle las buenas noches.

Los últimos conciliábulos se fueron apagando poco a poco. Se hizo el silencio en la caravana, sólo interrumpido aquí y allá por el crepitar del fuego, los ruidos metálicos de los centinelas o el lejano ulular de las aves nocturnas.

Por la mañana, la caravana volvió a ponerse en marcha.

A Bertoul le agradaba caminar junto a sus nuevos compañeros de ruta, muchos de los cuales tenían su misma edad. Sentirse además protegido por una competente milicia, representaba un satisfactorio cambio respecto a la travesía solitaria e intranquila de los días anteriores. Vio que Blanche, que no dejaba de recibir cumplidos y miradas de interés, conversaba también con unos y con otros, y se dispuso a atender la petición de algunos muchachos que querían aprender las canciones de amor de su repertorio.

—¿Cómo podremos acordarnos de todos esos poemas y canciones? —le preguntaron Arnaud y Renaud Magnier, los hijos gemelos del jefe de la caravana.

—Buscad un pergamino y yo os las escribiré —dijo Bertoul—. ¿Sabéis leer?

—Desde luego —respondió Arnaud—. Es imprescindible en el oficio de comerciante.

—¡Y saber de números lo es aún más! —añadió riendo su hermano—. Iré a buscar dos o tres hojas.

Cuando regresó con el preciado material, Bertoul, rodeado de cinco o seis muchachos, se sentó al borde del camino para anotar varias letras de canciones, en tanto Blanche proseguía la marcha igualmente rodeada de admiradores.

Afiló una pluma con su cuchillo, tomó su cuerno de tinta y pidió que le buscaran una tablilla sobre la que apoyarse. Rápidamente satisfecha su demanda, mojó la pluma en la tinta y se puso a escribir palabras al tiempo que tarareaba la melodía y preguntaba a su auditorio:

—¿Recordaréis cómo se canta esta parte? Fijaos bien que aquí hay que bajar de tono y que en esta otra parte se modula la voz…

La caravana entera los sobrepasó y él seguía escribiendo y dando indicaciones.

Cuando al fin acabó, entregó los pergaminos a sus nuevos amigos. Los mozalbetes, muy contentos, echaron a andar entonando las canciones, mientras Bertoul se tomaba un tiempo para cerrar bien su cuerno de tinta —no era plan que se derramase sobre el manuscrito o sobre sus pergaminos—, colocarlo cuidadosamente y verificar con una breve ojeada el estado del imponente libro y de sus instrumentos, tras lo cual emprendió la marcha hasta alcanzar la cola de la caravana.

El último carromato se bamboleaba, los soldados de retaguardia bromeaban entre ellos y los muchachos, arrastrados por el ritmo de las canciones, se dirigían hacia la cabeza del convoy en busca de la única compañía femenina…

Bertoul apresuró su paso con intención de alcanzarlos y rescatar a Blanche, cuando vio de pronto, en la parte trasera del carro, un espectáculo que lo dejó atónito y furioso.

Expuesto en el portón de madera, con las alas abiertas, un pájaro se debatía penosamente con ligeros e impotentes estremecimientos. Estaba clavado por las alas con dos grandes pinchos. Era un búho.

Bertoul fue hacia el primer soldado que encontró y lo agarró por la manga.

—¿Qué le habéis hecho a ese pájaro? —preguntó con la voz quebrada.

—Lo hemos clavado ahí esta mañana para que los otros tomen nota. No queremos que estos bichos dañinos vengan a importunarnos.

—¡Pero si no es más que un búho! —protestó Bertoul.

—¡Un emisario de la noche, un pájaro del diablo! —replicó el soldado—. Con ese bicho ahí detrás —y, al decirlo, escupió en su dirección— nos aseguramos no tener problemas hasta llegar a nuestro destino. ¡Nos traerá suerte!

—¿Dónde lo habéis encontrado?

—El monje es quien nos lo ha traído esta mañana —respondió el soldado.

Y como si lo hubiera llamado, allí estaba, de pronto, con ojos brillantes y gestos excitados, el hermano Hugonet.

—Anoche oí ulular a este pájaro diabólico —exclamó—. Y al momento salí a combatir al demonio. Enarbolé mi cruz y, bajo la protección del Señor, lo localicé enseguida. Dios me mostró entonces una piedra y yo se la arrojé. El golpe hizo caer al miserable, igual que los ángeles se precipitaron desde lo alto del cielo.

—Esto nos protegerá de los demás búhos, de los espíritus malignos, de los sortilegios e incluso de los lobos —añadió el soldado—. Todo el mundo lo sabe.

Los otros soldados que iban en retaguardia parecían estar de acuerdo acerca de las cualidades protectoras de tal procedimiento.

—¿Dónde habéis oído semejantes ideas? —exclamó Bertoul—. ¡Es pura barbarie!

Jamás había visto nada parecido en Tournissan, donde, por muy mala reputación que tuviesen ciertos animales, nunca se le hubiera ocurrido a nadie clavarlos vivos en una plancha de madera.

—¿Es que también vas a defender a este engendro de la noche? ¿A este animal horrible y maléfico?

—No sólo voy a defenderlo, sino que también voy a liberarlo —anunció Bertoul con voz airada, mientras se dirigía, puñal en mano, hacia la desdichada ave.

—¡Sacrilegio! —aulló el hermano Hugonet—. ¡Este menestral es un servidor del diablo! ¡Tenéis que impedírselo!

El monje se mostraba a la vez amenazador y espantado. Pero Bertoul, haciendo oídos sordos, utilizó su puñal a modo de palanca y consiguió desprender el primero de los dos gruesos clavos que apresaban al búho.

«Hu, hu...», emitió débilmente el pájaro cuando su ala izquierda fue liberada. Pero ya el monje se había aferrado al brazo de Bertoul para impedir su siguiente movimiento. Los soldados los miraban con guasa, sin intención aparente de intervenir.

—¡Vamos! ¡Ayudadme! —les gritó el monje.

Pero en el preciso instante en que los cuatro soldados se disponían a echarle una mano, se vieron envueltos, lo mismo que el hermano Hugonet, en una repentina vorágine de plumas moteadas, y de garras y picos acerados. Un número indeterminado de rapaces se había abatido repentinamente sobre ellos.

—¡Los otros búhos! ¡Son demonios! ¡Hemos atraído a las legiones del infierno!

Bertoul aprovechó el momento de confusión para desclavar la segunda ala.

«Hu...», volvió a emitir el búho crucificado mientras él plegaba sus alas y lo sujetaba entre sus brazos como si fuera un bebé.

—Pobre pájaro, te han hecho mucho daño —le dijo mientras examinaba las dos sangrientas heridas.

Un instante después, las rapaces habían desaparecido. Entre las manos de Bertoul, el búho intentaba débilmente alzar el vuelo, pero era en vano.

—¡Agente del demonio! ¡Protector de búhos! ¡Brujo! ¡Brujo! ¡Brujo!

Los chillidos del monje acabaron por llamar la atención de Guillaume Magnier, quien llegó cabalgando hasta ellos.

—Vamos, hermano Hugonet, ¿qué pasa ahora? —dijo con acento cansado.

—¡Este enviado de Satán, este brujo, ha desclavado al búho que servía para proteger a nuestra caravana del demonio y de todo mal! —clamó el monje—. La desgracia se abatirá ahora sobre nosotros.

Bertoul, con el ave todavía entre sus brazos, no decía nada. Tenía la impresión de vivir aquel instante como si el tiempo se hubiera detenido o quizá como si fuera él quien permanecía en estado de suspensión. Los gemelos, que entretanto habían llegado, rodearon al joven músico.

—Vamos, Bertoul, deja ese pobre despojo y ven a cantar con nosotros —dijo alegremente Arnaud tratando de llevárselo consigo.

—¡No, es preciso que pague su crimen! —aulló el monje.

—Hermano Hugonet, si comenzáis otra vez a amenazar a los miembros del convoy, nos veremos obligados a amordazaros y dejaros atado dentro de un carro...

—¡Sacrílego! ¡Blasfemo! ¿Os atrevéis a amenazar a un hombre de Dios?

—...Y a dejaros en la primera ciudad que encontremos.

—Creo —dijo Renaud confidencialmente a su hermano y a Bertoul— que deberíamos hacerle beber una buena pinta del remedio de nuestro compañero Pierre Colmieu. Seguro que después sería mucho más cordial.

El muchacho rió por lo bajo y su hermano lo imitó, pero Bertoul estaba demasiado tenso para divertirse con aquellos comentarios. El búho se agitó entre sus manos y, poco a poco, se soltó. Movió la cabeza en todos los sentidos y posó sus ojos dorados primero en el pequeño grupo y después en el cielo. De golpe, extendió sus alas y tomó impulso, como si sus heridas hubieran sanado. Planeó un momento en torno a Bertoul y luego, silenciosamente, voló en dirección al bosque.

—Me alegro de que haya podido irse —suspiró Bertoul.

—Ese animal trae mala suerte —dijo Arnaud—. Me pregunto por qué lo has liberado.

—Ese animal estaba siendo torturado —le rectificó Bertoul—. No comprendo cómo los hombres pueden llegar a ser tan crueles.

Los dos hermanos se miraron como si Bertoul fuera realmente un ser aparte.

—¡Vaya, todo esto por un búho! —resumió finalmente Renaud—. Bueno, no ha sido nada demasiado serio. Vamos a reunirnos con los otros.

Durante todo ese tiempo, Guillaume Magnier había conseguido convencer al hermano Hugonet de que el asunto estaba solucionado, y de que probablemente no era merecedor de que invocase el castigo divino contra eventuales urdidores de sortilegios, adeptos al demonio, pájaros de mal agüero y otros provocadores de desgracias.

⌒SORTILEGIO⊙

para curar la fiebre

Tritura **una araña,**
pon los restos en un paño
y aplícalo sobre la frente
y las sienes del enfermo.
Pronto, la fiebre desaparecerá.

20

B ERTOUL RECORRIÓ la caravana en busca de Blanche para contarle la liberación del búho, pero no la vio por ninguna parte.

—¿Dónde está mi hermana? —preguntó mirando a derecha e izquierda.

—Se ha adentrado por allí en busca de unas flores.

—¿Y la habéis dejado ir? —se inquietó pensando en sus perseguidores.

—Claro. No está lejos. Hace un instante se la veía entre los árboles. No temas, no corre ningún riesgo de perderse.

Bertoul ya no tenía deseos de cantar. Mientras caminaba, escrutaba el cielo cada poco rato, esperando percibir vagamente al búho que había rescatado. Vio gorriones, palomas torcaces y hasta las primeras golondrinas, pero ni rastro de búhos. Quizá era mejor así, especialmente para ellos.

La jornada, que tan bien había comenzado, no había mantenido sus promesas. Bertoul, silencioso y enojado, se mantuvo distante de sus nuevos compañeros, un poco decepcionado también de que Blanche no estuviera junto a él. Sus pensamientos eran amargos y no le dejaban tranquilo. ¿Cómo podían los hombres maltratar así a los pobres animales, criaturas de Dios a fin de cuentas? Claro que, por otra parte, también martirizaban sin dudar a sus propios semejantes... ¿No habían inventado las torturas y esas prisiones tan oscuras en las que uno acababa ciego y loco? ¿Cómo podía llegarse al extremo de quemar vivos a otros seres humanos e inventar horrores del mismo género?

Sentía que la cólera le invadía ante estos terribles pensamientos, y daba patadas furiosas a los guijarros mientras caminaba a tan buen paso que pronto dejó atrás la cabeza del convoy.

Los gemelos le alcanzaron un poco más tarde.

—¿No quieres que cantemos?

—Ahora no —rehusó Bertoul meneando la cabeza—. No estoy de humor para música.

—¿Todavía a causa del búho?

—Más bien, a causa de la crueldad... —dijo Bertoul.

—Bueno, siempre se ha hecho eso con las lechuzas y los búhos —comentó Arnaud con displicencia.

—¿De verdad? ¿Y no es hora ya de que eso cambie?

Los gemelos pusieron cara de no comprender nada y acabaron dejándolo solo.

Bertoul suspiró, sacó del zurrón su pequeña flauta y entonó un aire dulce y melodioso. La ventaja de tocar la flauta era que no podía cantar ni discutir. Más valía así.

Al poco rato se dio cuenta de que Blanche estaba a su lado. En el hueco de sus manos llevaba varias avellanas que le mostró con una sonrisa.

—Son para ti —le ofreció—. Las he encontrado en el bosque.

—Mil gracias —dijo él con un agradecimiento desproporcionado.

Las cosas, de pronto, empezaban a ir un poco mejor. Tomó una avellana y murmuró:

—De todas formas, sé más prudente y no vuelvas a alejarte... Nunca se sabe... Hay tantos peligros, adversidades, odios...

Y le contó lo sucedido con el búho, satisfecho una vez más de formar equipo con ella.

Durante el resto de la jornada, Bertoul, más animado, se integró con los demás y volvió a cantar y a enseñar otras tonadas a sus nuevos amigos, aunque sin apartar en ningún momento los ojos de Blanche, ante el temor de que volviera a alejarse.

—Tu equipaje parece muy pesado, ¿por qué no lo dejas en algún carro? —le propuso un chico llamado Giriaume—. Tu hermana lo ha hecho…

Bertoul no supo qué responder. «Si me niego a separarme de él», pensó, «querrán saber el motivo, y si lo coloco en una de las carretas, siempre habrá un curioso que vaya a examinarlo…» Por otra parte, era cierto que el fardo resultaba cada vez más pesado. ¿Qué hacer?

—Tienes razón —contestó—. Voy a dejarlo en algún sitio, pero necesito tener siempre conmigo mi gran libro de música, regalo de mi querido y sabio maestro Jacquemin-Loriot. Le prometí que nunca me separaría de él.

Blanche le dirigió una mirada significativa y burlona. ¡Un libro! ¡Eso era, pues, el famoso misterio! Un bien valioso, en efecto, que él temía con razón le fuera robado. ¡Al menos su curiosidad se hallaba ahora satisfecha en parte!

Bertoul abrió su zurrón y sacó el manuscrito, siempre bien envuelto, que enseguida deslizó en su jubón, por encima de la cintura. Ahora parecía que llevara sobre el vientre una pieza de armadura, lo que causó la hilaridad de algunos jóvenes. El resto del equipaje fue depositado en uno de los carros.

—¿Nos lo enseñarás ? —le preguntó Renaud.

—Ya veremos —respondió él con cierta condescendencia—. Es un libro valioso. Y no debe ser abierto si no es con respeto, con las manos limpias para no ensuciarlo, y con mucho cuidado de no estropearlo. Quizá esta noche, después de la velada... Veremos cuando llegue el momento...

Sus palabras parecieron convencer a todos. Bertoul tenía tiempo hasta la noche para encontrar el medio de zafarse de tan espinoso ofrecimiento.

Mientras los mercaderes cabalgaban pesadamente rodeando el convoy, sus hijos y sobrinos caminaban a buen paso, lo que muchas veces les obligaba a detenerse o a volver hacia atrás. Todos parecían muy preocupados por las muchachas que habían dejado en sus ciudades, y Bertoul y Blanche tuvieron ocasión de oír a menudo la letanía de sus nombres: Bertrade, Edeline, Marguerite, Colette, Mahaut, Looyse, Jolivette... Y junto a los nombres, las cualidades que adornaban a sus propietarias: bella, dulce, rubia, morena, valiente, amable, generosa... A veces la discusión subía de tono. Pero Bertoul perdía el hilo de estas añorantes consideraciones. Para él eran otros los nombres que giraban en su cabeza: Raoulet de Mauchalgrin, Magnus Gurhaval, Grande Truanderie. Y, desde luego, Hermelinda de Tournissan.

—¿En qué piensas? —le preguntó a Blanche en un aparte. Había observado que la joven, confundida en medio del grupo, no dejaba, sin embargo, de dirigir atentas y frecuentes miradas a las inmediaciones del camino que recorrían.

—Pienso en mis hermanos Gaubert, Gauderic, Gautier y Gaudefroi —respondió tensando la mandíbula—. Seguramente me estarán buscando. Y también Josce de la Bordonne. ¡Ah, con tal de que lleguemos pronto a París! ¡No me sentiré tranquila hasta entonces!

—Yo tampoco.

—Y esta caravana apenas avanza. Y además está ese fastidioso monje.

—Paciencia. Ya sabes que es el precio de nuestra seguridad.
Ella suspiró.

—Sí, supongo que sí…

La velada nocturna comenzó como en la víspera. Tras una
cena de carne asada y pan, Bertoul fue nuevamente invitado a tomar su lugar junto al fuego, en medio del círculo, para divertir
a la concurrencia.

Pero esta vez su actuación iba a acabar en catástrofe…

El manuscrito adherido a su pecho no le había estorbado
apenas para caminar, hablar y bromear con los jóvenes durante
el día. Pero ofrecer, con él encima, un espectáculo en el que había que cantar, danzar, disfrazarse, dar saltos, hacer juegos malabares e incluso alguna que otra acrobacia, estaba fuera de toda
lógica. De modo que optó por recuperar su zurrón y volver a
colocar dentro el libro, dejándolo luego muy cerca, con el pretexto
de que iba a necesitar algunos accesorios.

Blanche se sentó en el suelo, a cierta distancia del espectáculo, lista para dar tres o cuatro golpes de tamboril cada vez que
se lo pidiera.

En pocos minutos, Bertoul se había metido al público en el bolsillo; al cabo de media hora se había creado un ambiente de de-
satada hilaridad.

Arrebatado por el papel que estaba interpretando, lleno de inspiración y fantasía, mientras Blanche marcaba el ritmo tras el círculo de espectadores, Bertoul no pudo ver cómo una sombra se
deslizaba furtivamente junto a la hoguera y, rápida de manos,
se apoderaba de su inestimable zurrón. Y estaba acabando ya su
actuación, cuando un grito penetrante dejó helado a todo el mundo. Al momento, en el espacio libre junto al fuego, irrumpió el
monje con grandes zancadas vociferando:

—¡Es un brujo! ¡Es un brujo! ¡Ya os había advertido que debíamos desconfiar de este enviado de Satán!

Bertoul, paralizado y atónito, con los ojos desencajados, vio al hermano Hugonet levantar con las dos manos el manuscrito del rubí abierto por la mitad. Se le ocurrió buscar a Blanche con la mirada, pero la joven parecía haberse fundido en la negrura de la noche.

—¡Escuchad esto! —seguía bramando el monje—: ¡«Secreto para caminar mucho tiempo sin la menor fatiga y para correr más deprisa y durante más tiempo que cualquier otro ser vivo»!

«Cuán útil me sería esa extraordinaria fórmula ahora», pensó Bertoul.

Pero ya el hermano Hugonet continuaba su perorata ante un auditorio mudo y petrificado:

—¡Puedo oler el azufre! ¡Cada una de las páginas apesta a azufre! ¡Es el aliento del diablo! Escuchad más: «Secreto para no ser mordido por las serpientes», «Secreto para hacer hablar a alguien en sueños», «Secreto para otorgar una vista más aguda y penetrante que la de los búhos», «Secreto para protegerse de los golpes de espada y de otras armas»... ¿Queréis todavía más?

Fuera de sí, el monje agarró a Bertoul por un brazo y lo sacudió violentamente.

—¡No has podido esconder tu secreto mucho tiempo, brujo infame! ¡Con la ayuda de Dios te he desenmascarado! ¿Qué les querías hacer a estos buenos mercaderes? ¿Transformarlos en animales? ¿Robarles sus posesiones?

—¡Yo no soy ningún brujo! —intentó defenderse el joven.

—¡Vosotros, id a buscar leña! ¡Vamos a quemarlo vivo, como se debe hacer con todos los brujos! Antes del amanecer debe asarse en el infierno. Y que su maldito libro de magia lleno de pútridos secretos le haga compañía.

«¡Quemarme!», dijo una voz dentro de Bertoul. «¡Quieren quemarme! ¿Pero qué les he hecho yo?»

—¡Sálvate, Blanche! —gritó.

Luego intentó soltarse, pero el religioso lo tenía bien sujeto.

—¡No es extraño que esté aliado con los animales del Maligno! ¡No es extraño que haya desclavado al búho que protegía nuestra caravana! ¡Brujo! ¡Maldito!

—¡No soy un brujo! —volvió a gritar Bertoul—. ¡Sólo soy un músico!

—¿Qué pasa con esa leña, esos troncos? ¡Daos prisa!

—Calma, hermano Hugonet —intervino Guillaume Magnier—. Veamos, muchacho, ¿qué tienes que decir en tu defensa?

—¡Quemémosle sin tardanza! ¡A él y a su libro!

—¡Silencio, he dicho, hermano Hugonet! Piensa bien lo que vas a decirnos, joven menestral. Si se comprueba que has hecho realmente un pacto con el diablo, no vamos a quemarte aquí, en este bosque, pero te entregaremos a la justicia en la ciudad más cercana…

Guillaume Magnier era un hombre prudente y sensato, y no quería dejar escapar a un posible malhechor.

—Arnaud, Renaud, tomad una cuerda y atadle las manos a la espalda. Hermano Hugonet, traiga ese libro.

Los dos hermanos se levantaron con aire desolado. El hermano Hugonet se acercó orgullosamente al jefe de la caravana.

Bertoul vio a los gemelos dirigirse a él, muy apurados, con una cuerda en las manos. Blanche seguía sin aparecer, aunque, ¿cómo habría podido ayudarlo? Mejor que estuviera felizmente desaparecida. Levantó los ojos como si buscara en el cielo algún posible aliado. Y de golpe, con un mismo impulso, recogió su zurrón del suelo, arrancó el manuscrito de las manos del monje cuando éste se lo iba a entregar a Guillaume Magnier y, con un salto digno de un gamo, se dio a la fuga buscando la densa sombra del bosque, la absoluta oscuridad de una noche sin luna, la seguridad de las tinieblas.

En tres zancadas había desaparecido en la maleza. Se colocó el zurrón en bandolera. No había tiempo para guardar el manuscrito. Podía oír a sus espaldas las voces de los comerciantes, los soldados y el monje. Hubo gritos y entrechocar de armas. Luego percibió el resplandor de antorchas lejanas, pero sabía que si conseguía alejarse lo suficiente durante la noche, ni los soldados del convoy ni el fanático monje conseguirían atraparlo. Apretó el libro contra el pecho, con los dos brazos fuertemente anudados para evitar que pudiera deslizarse. Y siguió adentrándose en el profundo bosque. Cada vez más adentro. Hasta que una forma larga y movediza, de un color beis blanquecino, pasó oscilando ante él. Un búho.

—¿Vendrá a mostrarme el camino? —se preguntó Bertoul.

Y, de pronto, se sintió reanimado. Sabía dónde estaban sus verdaderos amigos, y no eran otros que esos animales nocturnos que tanto asustaban a las buenas gentes.

Ahora corría totalmente confiado, la mirada alta, siguiendo al inesperado guía. Por eso no vio la retorcida raíz de un gran árbol. Ni la piedra, unos pasos más allá.

Tropezó y cayó cuan largo era. Su cabeza chocó contra la piedra. Y perdió el sentido.

⌐SORTILEGI⌐
contra los espíritus malévolos

Enciende una vela blanca y un poco de mirra.
Guarda dos granos de hinojo
en un saquito de tela blanca
y recita el siguiente encantamiento:
'Espíritus benévolos que veláis en la noche,
yo imploro vuestra protección contra las fuerzas del mal.
Guardadme de su influencia maléfica y nefasta.
Protegedme de los espíritus malévolos.'
No olvides nunca llevar el saquito contigo
para así estar protegido.

21

QUÉ LE ESTABA PASANDO? Bertoul sintió una especie de frescor en la frente, pero, al momento, gimió de dolor. Le dolía terriblemente la cabeza. Intentó palparse la frente, pero ni siquiera pudo llevar a cabo ese simple gesto. Yacía en el suelo, sobre un lecho de hojas muertas, con la cabeza sobre una piedra. Trató, sin mucho éxito, de abrir los ojos. Pudo entrever, no obstante, que la piedra estaba teñida con un hilillo granate de sangre seca. Tuvo la sensación de que era por la mañana. Cerró los párpados. Algo duro le oprimía el estómago. Había caído desmayado sobre el libro que estrechaba entre los brazos. Eso era, al menos, una buena noticia: el manuscrito estaba en su poder, bien dolorosamente que lo sentía hundido contra su cuerpo. El zurrón también estaba ahí, junto a su costado.

¿Eran los árboles los que se movían de esa forma en torno a él? ¿Era el viento el que de vez en cuando refrescaba su rostro? Le parecía sentir una presencia cercana. Y algo frío sobre la frente. Era agradable. ¿Sería el granito de la piedra? Era algo húmedo. ¿Más sangre, quizá?

Retazos de pensamientos desordenados se embrollaban en su mente.

«Ah, ni siquiera sé dónde estoy. Me duele mucho la cabeza, pero no consigo palpármela… Me duelen las costillas, pero me resulta imposible darme la vuelta para separarme del libro. Y me encuentro tan fatigado... ¿Qué quieren todos de mí? ¡Estaba tan tranquilo en Tournissan! ¡Todo esto por un libro de magia que yo no puedo leer, y que está destinado a alguien a quien ni siquiera conozco!...»

«¡Cómo me gustaría descansar en un pequeño y agradable castillo! Tocaría música para la castellana y sus hijas, y divertiría al señor y a los caballeros con mis farsas y mis imitaciones.»

«Arrojaría el manuscrito a cualquier pozo, la tinta se diluiría y ya no habría secretos mágicos. Los monjes fanáticos y los esbirros de Raoulet de Mauchalgrin no tardarían en olvidarme. Yo acabaría, dentro de unos cuantos lustros, como mi maestro Jacquemin-Loriot: querido y mimado en algún remoto castillo del que apenas saldría. Y, quién sabe, una criada del castillo, quizá, se enamoraría de mí, y tendríamos un tiempo feliz para compartir...»

«Ah, mi señora Hermelinda, no tendríais que haber muerto... Ya no quiero la responsabilidad de este manuscrito. Es demasiado pesado para mí. Perdonadme, mi querida noble señora, pero temo no poder mantener mi compromiso.»

Al tiempo que pensaba esas palabras, se sintió invadido por un sentimiento de vergüenza que lo hizo enrojecer. «Yo, el único a quien ella pudo confiar esta misión tan personal, ¿seré tan cobarde como para traicionarla? ¿Tendré tan poco valor que no seré capaz de demostrarle todo el agradecimiento que le debo? ¡Ah, no, eso nunca! Sin embargo, mi señora Hermelinda, he avanzado tan poco y París está aún tan lejos... Y sin nadie que me ayude, sin nadie que pueda infundirme valor...»

—Blanche —murmuró—. Blanche de Vauluisant.

—Estoy aquí —dijo una voz.

«Debo estar delirando», pensó Bertoul. «Blanche ha desaparecido. No estaba cerca del fuego cuando… cuando… ¿qué? El monje… los comerciantes…»

—Mi señora Hermelinda me lo dijo: tienes que encontrar a Blanche de Vauluisant —volvió a murmurar.

—Estoy aquí —repitió la misma voz—. Te has dado un golpe tremendo, pero enseguida vas a estar bien.

Seguía sin saber dónde estaba. ¿Estaría ya en el paraíso?

—Así que estoy muerto… —suspiró.

—Aún no. Únicamente un poco descalabrado. Pero, dime, ¿me oyes? No te duermas.

Un fuerte olor a hierbas frescas flotaba a su alrededor y le hizo girar un poco la cabeza.

—El libro… —susurró.

—Lo tienes ahí. Estás tumbado encima de él.

Sintió que le daban la vuelta sobre su espalda y que le subían el jubón y la camisa…

—Es un buen preparado —dijo Blanche—. Lo he hecho yo misma. Son hierbas maceradas. Hay árnica en la composición, y también corazoncillo, aquilea y, naturalmente, menta. Enseguida vas a estar mejor, ya lo verás.

La joven aplicó el ungüento sobre sus costillas y lo fue extendiendo hasta hacerlo penetrar; luego se ocupó de su frente, ensangrentada y con un enorme chichón. Bertoul comenzó a sentirse un poco mejor.

—Ten… tengo que levantarme…

—Mejor deja de moverte…

Bertoul se quedó quieto y, por fin, consiguió abrir los ojos lo suficiente para poder verla.

—¿Qué haces aquí? —preguntó como si acabara de despertar—. ¿Cómo me has encontrado? ¡Aaahhh…! ¿qué haces?

—Te estoy curando —dijo ella con un tono que no admitía réplica—. Conozco bien las hierbas. Te has herido al caer. No parece demasiado grave, pero veo que aún estás un poco ido.

La joven lo ayudó a apoyarse contra un árbol, y el primer gesto de Bertoul fue hacer desaparecer rápidamente el manuscrito en el interior de su zurrón.

—Oh, ya no vale la pena que lo escondas —dijo ella—. Ya sé lo que es. Después de lo que pasó anoche…

Sí, claro… algo había pasado… algo bastante grave…

Blanche acabó de colocar un pequeño frasco de cristal en su hatillo, luego se puso a su lado.

—¿Sabes de lo que estoy hablando? —le preguntó.

Él la miro con aspecto de seguir todavía alelado.

—El monje les enseñó a todos el libro y nombró algunas recetas mágicas, ¿te acuerdas ahora?

Fragmentos de imágenes afluyeron a la mente de Bertoul: sus recuerdos comenzaban a ordenarse.

—¡Y después quiso quemarme! —dijo completando la escena—. ¡Oh, Dios mío, de buena me libré! Corrí y corrí todo recto y de pronto… ya no recuerdo más… Y tú has conseguido reunirte conmigo.

—Fui prudente —explicó Blanche—. Ya te había dicho que no me gustaba ese monje. Por eso, cuando vi que las cosas empezaban a ir mal, agarré mis cosas y me alejé del fuego. Los demás estaban demasiado ocupados contigo y con el libro como para vigilarme e impedírmelo.

La joven suspiró. Volvió a verse, por un momento, aferrada a su hatillo, corriendo hacia la oscuridad salvadora, lejos del resplandor del fuego, con el corazón desbocado y los ojos despavoridos, viendo aún la escena que se desarrollaba a la luz de las llamas: el monje enarbolando el manuscrito, Bertoul con aspecto perdido y asustado, la mirada severa del jefe de los mercaderes, todos los demás a la expectativa.

—Perdóname —dijo—. Quizá debí haber intervenido. Pero tuve mucho miedo y en ese momento no supe qué hacer.

—Hiciste bien quitándote de en medio —la cortó él—. Fue una sabia decisión. De nada hubiera servido tratar de interponerte. ¿Qué pasó después?

—¿Después? Te vi agarrar tu zurrón, apoderarte del libro, empujar a los que se cruzaron en tu camino y correr en línea recta hasta penetrar en lo más oscuro del bosque. Corrías más rápido que una liebre, puedes creerme. Ellos no te buscaron durante mucho tiempo, y yo tampoco. El monje les hizo recitar unas cuantas plegarias para limpiar sus espíritus de las malas influencias que tú y yo podíamos haberles contagiado. Luego, todos fueron a acostarse, y esta mañana, como los demás días, la caravana volvió a emprender su ruta sin preocuparse de nosotros.

—¿Y tú, Blanche? ¿Qué es lo que hiciste?

—¡Oh, nunca estuve muy lejos de ellos! Pasé la noche a veinte pasos del campamento, bien envuelta en mi capa, en un confortable lecho de musgo. Y cuando el convoy se puso en marcha, me propuse encontrarte siguiendo más o menos la dirección en la que habías desaparecido.

—¡Pero habrías podido perderte cien veces!

—Te llamé a voces y no me respondías. Quise buscar señales de tu paso, pero no tengo espíritu de cazadora y soy muy torpe con las huellas. Caminé de un lado a otro, sin saber muy bien a dónde iba. Llegué a creer que estaba completamente perdida. Pero seguí avanzando. Después de todo, daba igual, ya estaba perdida… Incluso estuve a punto de ser atacada por unos búhos…

—¿Búhos?

—Al parecer no querían que fuera por un sitio y me empujaron hacia otro. Fue muy curioso. Aparecían y desaparecían, y volvieron a hacer lo mismo varias veces. Finalmente te encontré, caído, con la cabeza sobre esa piedra. Vi que no estabas muerto y por suerte disponía de todo lo necesario para curarte. Di gracias al cielo por todo ello.

Con un gesto impulsivo, ella le echó los brazos al cuello y, en un abrir y cerrar de ojos, le plantó en la mejilla un sonoro beso.

—¡Ay! —se quejó Bertoul, pues con el abrazo le había apretado sus doloridas costillas y su muy abultada frente.

Pero, pese a ello, se sintió contento y le agradeció en exceso todo lo que había hecho por él.

—Está claro —le dijo— que eres una persona llena de coraje y de recursos. ¿Seguimos formando equipo?

—Más que nunca —contestó ella sonriendo—. Tengo que llegar como sea a París.

—También yo. Y, de todas formas, esa caravana era demasiado lenta para nosotros.

—¡Demasiado lenta, sí señor, siempre lo pensé! —añadió ella en tono alegre.

—Entonces hemos hecho muy bien al separarnos de ella.

—Por otra parte, aún no nos hemos alejado demasiado de Flamincourt —observó ella—. Mis hermanos me estarán buscando por todos los alrededores. Nos convendría, tal y como habíamos previsto, ir hasta Virelet, que ahora no debe quedar ya muy lejos. Cubriríamos una buena etapa y estaríamos seguros.

—¿Cuánto tardaremos en llegar?

—No lo sé. Entre uno y tres días, supongo.

Se pusieron en pie y, orientándose mal que bien con el sol, caminaron en dirección norte. Pronto pudieron seguir un sendero.

Y unos niños que recogían haces de leña les indicaron la existencia de un camino más importante, por el que llegarían, probablemente poco después del mediodía, a la ciudad de Virelet, donde, según les dijeron, se estaba celebrando la gran feria anual.

⁀SORTILEGIO⁀
para ver el porvenir en sueños

Fabrica pequeñas bolitas
con una mezcla de sangre cuajada de asno
y de grasa de pecho de lobo.
Esparce esas bolitas por la casa
y, durante la noche, verás en sueños
lo que el porvenir te depara.

22

B ERTOUL, HAY ALGO QUE me gustaría saber: esa misión de la que te niegas a hablarme, ¿tiene alguna relación con ese libro de extrañas recetas?

«¡Vaya!», pensó Bertoul. «¡Está claro que los infortunios no le han hecho perder la curiosidad!»

—Supongo que ya sabes que no voy a decirte nada —replicó él con el tono de un juez que desestima una demanda.

—He podido ver que se trata de un libro precioso —continuó ella—. Pero no te preocupes, no pienso robártelo. Ni tampoco voy a meter la nariz en él. Entre otras cosas, porque no sé leer.

—¿Eso es verdad? ¿Tú, una dama noble? —se asombró Bertoul.

—Ya sabes que no debes llamarme así.

Bertoul tuvo que reconocer que Blanche prescindía por completo de su condición de miembro de la nobleza; es más, parecía haberla olvidado, y jamás había mostrado hacia él desprecio o arrogancia alguna. Nunca había exigido que se pusiera a su servicio. Y nunca se quejaba de su desgracia o de las difíciles condiciones de vida que llevaban. El peligro de ser encontrada por sus hermanos, si bien le confería a veces una expresión preocupada, no la transformaba sin embargo en una mala compañía, para gran alivio de Bertoul. Todo lo más, en ocasiones se mostraba irónica, Dios sabía la razón, porque la situación no se prestaba precisamente a la frivolidad.

—¿Y cómo haces para recordar todo lo relativo a tus innumerables plantas si no sabes leer?

—Conozco de memoria todas sus características y sus virtudes —respondió Blanche encogiéndose de hombros—. Como todo el mundo. También tú sabes de memoria tus melodías y tus canciones.

—Sí, pero... ¡yo sé leer!

—Oh... como los monjes y los clérigos...

—Y los menestrales —completó él—. Y también como algunos nobles. Mi señora Hermelinda sabía leer.

—¡Ya lo sé! Me dijo que yo debía aprender sin tardanza —confesó Blanche con tono avergonzado—. Así podría descubrir muchas cosas en ciertos libros. Cuando le hablaba de mi buena memoria, ella decía que eso no era suficiente. Y que si los muchachos querían permanecer ignorantes, peor para ellos, pero que una señorita noble debía aprender.

—Tenía razón —dijo Bertoul con decisión.

Blanche le lanzó una mirada perpleja. ¿Cómo se atrevía a hacerle semejante crítica?

—¿Es la señora Hermelinda quien te hizo el encargo?

—Nunca lo sabrás.

Hubo un largo silencio. Blanche iba a formular una nueva pregunta cuando, de repente, al rodear una colina, el paisaje se abrió en una amplia perspectiva.

—Ahí esta Virelet —dijo ella señalando las lejanas murallas amarillentas de la pequeña ciudad.

Bertoul suspiró aliviado, como si llegar a Virelet fuera la prueba de que estaban, al fin, fuera de peligro.

—Estoy contento de haber cubierto la primera etapa —comentó—. ¿No te parece que la entrada de la ciudad está muy animada? Debe de haber mucha gente impaciente por participar en la feria.

—No lo sé. Está demasiado lejos para verlo.

—No me digas. ¡Mira esos saltimbanquis! ¡Y esos niños que corretean de un lado a otro!

—Lo único que veo es una confusa masa de gente.

—Mira mejor. ¿No ves a esos soldados que montan la guardia? ¿No ves a ese hombre de caperuza malva y ojos azules? ¿Y a su hijo pequeño que va comiendo una manzana?

—¡Bertoul, no te burles de mí! ¡Nadie puede ver el color de los ojos a esta distancia! ¡Y nadie puede distinguir una manzana desde tan lejos!

De repente, ella fijó su mirada no en la ciudad que él veía con tanta precisión, sino en el propio Bertoul.

—Bertoul, creo que tienes un don especial. Hay en ti algo que... que...

Blanche dejó la frase sin acabar. Tenía una expresión absorta, como si su mente trabajase a toda velocidad tratando de unir todas las piezas de un misterio. De pronto, exclamó:

—Dime, Bertoul, ¿la señora Hermelinda nunca te dio a entender si había practicado sobre ti algún encantamiento?

—¿Qué quieres decir? —balbuceó él.

Ella entonces cambió su pregunta:

—¿Puedes ver si hay hormigas en ese árbol de allá?

—Claro que sí —dijo él tras echar una simple ojeada—. También puedo ver sus seis patitas, sus cuerpos, sus antenas agitándose...

—Bertoul, necesito que me lo digas: ¿trató la señora Hermelinda de probar alguna fórmula contigo?

La joven parecía muy excitada y le apremiaba a responder agarrándolo por el brazo.

—Pero... pero... ¿qué me estás diciendo? —dijo él.

Su tono quería parecer indiferente, aunque lo cierto es que parecía turbado y desviaba continuamente la mirada.

—Yo soy parte del secreto, ya lo sabes —insistió ella.

—¿Qué secreto? No entiendo nada de lo que dices —afirmó con un tono más convencido.

—Lo entiendes muy bien, Bertoul, no lo niegues. La señora Hermelinda te favoreció con un hechizo.

Bertoul se encogió de hombros y le dio la espalda a Blanche para que ella no fuera testigo de su turbación. Pero la joven no iba a dar por acabada la conversación:

—La señora Hermelinda poseía muchísimos conocimientos.

—¡Ya lo sé! —gruñó—. Era una mujer muy instruida.

—Me refiero a conocimientos que no se encuentran en los libros corrientes. Cosas misteriosas. Como, por ejemplo, llevar a cabo hechos prodigiosos.

—Eso es ridículo —dijo él volviéndose de golpe con gesto airado.

—No te enfades, Bertoul. Tú has recibido un gran don a través de ella. Puedes ver en la oscuridad, y puedes ver con todo detalle lo que está muy lejos o es muy pequeño. La señora te favoreció con el don de una vista excepcional.

—Yo veo como todo el mundo —protestó él.

—No, Bertoul, tú tienes una vista increíblemente aguda.

—Nunca había oído semejantes sandeces —dijo cada vez más nervioso.

—Eres muy ingrato con la señora Hermelinda —señaló Blanche—. Ella te regaló un don fantástico. Lo que no entiendo es por qué no te habló de ello... Quizá no tuvo tiempo...

Muy trastornado, Bertoul se puso a dar bastonazos a las zarzas y los matorrales que había en las inmediaciones.

—¿No quieres comprenderme, Bertoul? Eso no es nada malo. Si quieres, puedo contarte lo que sé de la señora Hermelinda.

—¡Ella era simplemente la buena ama de Tournissan!

—Ella era una mujer de gran sabiduría, versada en todas las artes de la magia y de los conocimientos secretos.

—¡La estás llamando bruja!

—No he hablado de brujería —recalcó Blanche con acritud—. Pero el mundo no es solamente lo que parece ser: hay muchos misterios a nuestro alrededor. Tú lo sabes, ¿no es cierto?

—No quiero ser condenado. No voy a hablar más de esto.

—¿Cuántos cierres tienen las casacas de los soldados que antes has visto?

—Seis —contestó él de inmediato tras haber fijado su mirada un instante.

—Nadie puede ver eso a esta distancia —repitió Blanche—. Tuviste la fortuna de que ella hiciera aumentar tu vista. Tenía un libro que trataba de todo eso, de experiencias y secretos de esa clase.

Blanche tuvo entonces una revelación:

—¡Es el libro que ahora tienes tú! ¡Su libro del rubí!

—¡No! —porfió él gritando.

Ella se le plantó delante:

—Bertoul, ¿qué te dijo la señora Hermelinda a propósito de los búhos o las lechuzas?

—Nada en absoluto —respondió él con voz irritada.

—Los búhos pueden ver de noche. Tienen una vista penetrante, como todas las aves rapaces, y además ven en la oscuridad más completa. ¿Eres tú un protegido de los búhos, Bertoul? ¿Son tus amigos? ¿Vuelan en círculo a tu alrededor?

Bertoul parecía haber perdido la noción del lugar donde se hallaba. Se movía dando vueltas por la colina que dominaba Virelet, mientras Blanche seguía acosándolo para conocer una verdad que él se negaba a admitir. Tragó saliva visiblemente asustado, porque lo que decía Blanche era completamente cierto.

No valía la pena seguirse engañando: tenía una agudeza visual superior a cualquiera. Recordó cómo, en Tournissan, Bertille encontraba chocante que pudiera distinguir a los conejos que saltaban lejos de las murallas del castillo, Calament le había dicho en alguna ocasión que tenía una vista increíble, Doette le pedía siempre que encontrara los alfileres que se metían entre las baldosas y que él localizaba sin dificultad, Nicollet se asombró el día que lo vio leer sin ninguna antorcha, simplemente con la luz de las estrellas.

—Dios mío —murmuró pasándose la mano por la frente.

—Tengo razón, ¿no es cierto? Sí, tengo razón, lo veo en tu cara. Ya no tienes ninguna duda.

—Estoy condenado —dijo él—. He sido embrujado.

—No temas nada, Bertoul. ¿No te das cuenta de que se trata de un regalo maravilloso que te hizo la señora Hermelinda?

—No lo sé —dijo él con un tono de duda que mostraba que su opinión estaba a punto de cambiar—. Estoy condenado. Esto es brujería.

—No, Bertoul. Ella mejoró tu visión natural, que ya debía ser bastante buena. De otro modo, Dios no lo hubiera permitido. La señora Hermelinda era una mujer muy sabia, no una bruja. Cada día daba gracias a Dios por haberle concedido tan amplios conocimientos. Era una buena cristiana. Y yo también lo soy.

—¿Qué quieres decir?

—Ella me enseñó algunas cosas. Comenzando por las hierbas.

—Por eso las llevas contigo...

—Conozco bien las hierbas y sus propiedades, lo que pueden hacer, cómo pueden curar...

—O envenenar, o causar desgracias.

—Sí, lo sé, pero yo nunca haré algo así. Jamás si la salvación de mi alma está en juego.

—Eso dices.

—Bertoul, ¿es que aún no te has dado cuenta de que soy sincera?

—Sí —admitió—. Por lo que sé de ti, eres una chica de bien. Pero todo esto me da miedo. Tienes poderes...

—No, tengo conocimientos. Ella comenzó a enseñármelos.

—¿Y no continuó?

—Mi madre murió... mis hermanos organizaron mi vida de otra manera... Luego me abandoné... me descuidé... Ella me habló a menudo de esforzarme por aprender... ahora lo lamento... cómo lamento no haber aprendido a leer.

A Bertoul le tranquilizaba aquella ignorancia. Pensó que aunque encontrara la ocasión de mirar el manuscrito, no podría descifrar su contenido. Las recetas y sortilegios serían para ella letra muerta.

—Uno de estos días te pediré que me enseñes —sugirió la joven en aquel momento.

«¡Vaya! Eso volvería a complicar las cosas», pensó.

—No es que me niegue —dijo él tras un instante de reflexión—, ¿pero tú crees que tendremos el ánimo necesario? Tenemos que avanzar lo más deprisa posible. Y, a propósito, no perdamos más tiempo y lleguemos cuanto antes a Virelet.

—Sí, creo que tienes razón —dijo ella sin protestar—. Bien, en Virelet podemos divertirnos un poco en la feria.

Él la miró con asombro: ¿acaso había olvidado ya el peligro que corrían demorándose más de la cuenta?

—Oh, ya sé lo que estás pensando —recalcó ella—. Pero si queremos pasar inadvertidos, será mejor no tener aspecto de ago-
biados. Podemos fingir que participamos, que nos divertimos con
los juegos y que miramos los tenderetes. Incluso podrías cantar.

—¡Eso sería llamar la atención!

—De acuerdo, pues no cantes. Pero en estos días no hemos tenido motivos de inquietud. ¿No podemos bajar un poco la
guardia? Seremos como dos buenos amigos que miran a los acróbatas y se entretienen con los animales amaestrados, y que luego se van tras comprar un caballo. Porque si nos presentamos con
aire de fugitivos, apurados y desconfiados, puedes creerme que
más de uno se fijará en nosotros y recordará nuestras caras y
nuestra facha.

—Tienes razón —dijo él convencido.

Tras lo cual se acomodaron sus respectivos fardos y comenzaron a descender con paso ligero hacia Virelet y su feria de
primavera.

ᴄ◦SORTILEGIO◦
para hacerse amar otra vez

Pega en la cabecera de la cama de la persona
por la que deseas ser amado,
lo más cerca posible del lugar donde reposa su cabeza,
un pedazo de pergamino virgen
en el cual habrás escrito:
'Miguel, Gabriel, Rafael,
haced que —aquí escribe el nombre de la persona—
sienta hacia mí un amor igual al que yo siento.'
Esa persona no podrá dormir sin pensar en ti,
y el amor nacerá muy pronto en su corazón.

23

L A SEÑORA MAHAUT DE FOUGERAY era una castellana muy noble, muy digna y muy estimada por toda la nobleza de las
tierras colindantes. La ciudad franca de Virelet le había solicitado
respetuosamente que fuera la reina del torneo, que tendría lugar la
primera tarde de su gran feria, y ella había aceptado. Acudiría a
la fiesta con su esposo Audouin de Fougeray, a quien su avanza-
da edad dispensaba de pelear en las justas, con sus hijas, sus damas de compañía y toda la servidumbre del castillo. Los jóvenes
donceles podrían participar en el torneo, lo que sería un buen entrenamiento de cara a futuras empresas guerreras. Las damiselas
apostarían por un campeón a quien harían entrega de una banda,
un velo o un chal con los colores que tendría que defender.

Todo el mundo en la mansión del barón de Fougeray aguardaba con impaciencia estos festejos, pues les harían olvidar la frus-
trada boda de Flamincourt, con su novia desaparecida y su novio despechado y furioso.

Raoulet se preguntaba si su señor le autorizaría a correr algunas lanzas. Se había ejercitado con Griffon y sabía dirigir
golpes arteros y hábiles que, a buen seguro, le valdrían algunas
victorias. Como recompensa, alguna de aquellas jóvenes pro-
pensas a rendir su admiración a los escuderos que saben combatir se encapricharía de él.

Por el momento, Raoulet de Mauchalgrin no estaba ya al servicio de las damas, sino al de su maestro. De modo que preparó el caballo de su señor, así como su escudo, sus armas de gala y la sobrevesta con los colores de Fougeray.

La comitiva se puso en camino y él tuvo el honor de marchar a dos pasos de Audouin de Fougeray y ser el primero de su escolta. Desde lo alto de su caballo bayo, con la cabeza alta, sosteniendo negligentemente las riendas con su mano izquierda y con el estandarte de su maestro bien sujeto contra la silla, miraba con desdén e insolencia a tierras y gentes. Hacia el mediodía, el cortejo llegó a Virelet e hizo su entrada por la puerta norte, donde fue recibido por las principales autoridades de la ciudad. El barón y su esposa fueron conducidos a la casa consistorial, a la espera del comienzo del torneo que tendría lugar al anochecer, a la luz de las antorchas. Criados y escuderos tuvieron permiso para retozar unas horas por la ciudad, si así lo deseaban.

Raoulet estaba decidido a aprovechar la ocasión. Nunca se sabe lo que se puede descubrir cuando se está con el ojo atento. Griffon le Réchin, que había formado parte del séquito de los Fougeray acompañando a los lacayos, se reunió con él sin decir palabra, dispuesto a servirle de escolta durante su paseo por la ciudad.

Ya hacía dos días que los hermanos Flamincourt se entregaban a su afición favorita en las posadas y hosterías de los barrios bajos de Virelet. Estaban como embriagados: se habían jugado su docena de escudos y habían ganado hasta reunir un centenar, pero luego una mala racha rebajó esa cantidad a ocho. El balance era, pues, negativo. Pero sólo de momento, pues tenían aún todas las oportunidades para rehacer su peculio: a su alrededor los dados seguían rodando con ese ruido de huesos sobre las mesas, los entarimados e incluso el polvoriento suelo.

Para la ocasión, habían elegido jugar al aire libre, ante su posada, sobre la tapa de un tonel vacío. Gaubert, Gauderic, Gautier y Gaudefroi tentaban a los indecisos con su mejor cara, su amplia sonrisa, su buen humor, un cuartillo de sidra con el que obsequiar a los incautos y, por supuesto, los dados, que hacían saltar en sus palmas, para dejar bien claras sus intenciones. Pronto se formó a su alrededor un pequeño tumulto de jugadores, al tiempo que la feria llegaba a su apogeo en las calles, callejuelas, plazas y plazuelas de Virelet.

Al presentarse en la puerta sur de Virelet, llamada Puerta de los Ballesteros, Bertoul exhibió ostensiblemente su rabel en la mano, y Blanche cargó con el tamboril.

—¡Cantad un poco para nosotros, queridos amigos —les dijeron los guardias apostados a la entrada—, y, según la costumbre, podréis entrar en nuestra encantadora ciudad sin pagar el impuesto!

Bertoul sonrió y frotó su arco contra las cuerdas. Blanche hizo una pequeña reverencia y golpeó la tensa piel del tamboril con la yema de sus dedos. Luego iniciaron una tonadilla muy animada y Bertoul entonó una canción de baile que puso alas en los pies de cuantos esperaban para poder entrar. Hubo incluso quienes les arrojaron varias monedas que ellos se apresuraron a recoger. Ya tenían para comprar unas salchichas y barquillos con miel.

—Bravo —dijo el jefe de la guardia cuando la música cesó—. Bien os merecéis pasar un buen día entre nosotros.

Y extendió un brazo acogedor hacia la bóveda de la Puerta de los Ballesteros para indicarles el camino.

Bertoul y Blanche, siempre con los instrumentos en la mano, hicieron su entrada en Virelet, mientras los ojos se les iban tras los bien surtidos mercadillos, las diversiones que había a cada paso, los tenderetes de golosinas y los tablados y escenarios desde los que se ofrecían toda clase de espectáculos.

—¡Qué bonito es todo! ¡Y qué apetitoso! —exclamó Bertoul, que sólo conocía las fiestas de Tournissan.

Era la primera vez que entraba en una ciudad, y dirigía hacia todas partes su mirada, consciente ahora de su extraordinaria agudeza y bien dispuesto a aprovechar esa cualidad.

—Tenemos que encontrar el mercado de caballos —dijo Blanche—. Luego, cuando tengamos nuestra montura, estaremos más tranquilos para disfrutar de la fiesta.

Bertoul intentó entonces algo nuevo: con una prolongada y atenta mirada, hizo un recorrido completo por todo cuanto se extendía ante ellos.

—Es por allí —dijo señalando una dirección a lo lejos.

—¿Tú crees?

—Completamente seguro.

La feria de los caballos y las bestias estaba casi oculta por varias empalizadas, pero él la había localizado en un instante. Con paso vivo, condujo hacia allí a Blanche, tropezando de vez en cuando con los paseantes que iban demasiado despacio, las aves que se lo tomaban con calma o los chicos cargados de panes calientes.

Discretamente, Blanche sacó del fondo de su hatillo una fina sortija de oro con un topacio engarzado y la mantuvo en el hueco de su mano. Se la mostró a Bertoul, quien la encontró demasiado hermosa como para canjearla. Pero ella decidió no tener en cuenta su opinión.

—No creas que vale tanto —le dijo—. Veamos lo que nos ofrecen.

Pasaron revista a los caballos que estaban en venta, a los que Blanche examinó escrupulosamente antes de decidirse por un hermoso animal de color blanco con algunas nubes grises en el pelaje. No era un esbelto y fogoso corcel, pero sí uno de esos potros robustos que compran los campesinos ricos para su carreta o sus labores, o los mercaderes para tirar de su carro lleno de mercancías. Bertoul no estaba muy conforme.

—¿Estás segura de que quieres desprenderte de esa joya? Además, el vendedor lo va a encontrar sospechoso. Por otra parte...

—Tú déjame hacer a mí —dijo Blanche.

Bertoul vio cómo la joven se acercaba al dueño del caballo y hablaba con él. Aparentemente, el tratante no mostró ningún asombro por el hecho de que una chica tan joven propusiera cambiar un caballo por una hermosa sortija, y en sólo tres minutos el negocio estuvo cerrado. Un momento después, Blanche volvía a reunirse con él, llevando las riendas del vigoroso animal.

—Por el mismo precio he obtenido también la silla, las alforjas y los arreos. Bien, ya puedes colocar tu equipaje; yo voy a enganchar el mío ahora mismo.

Blanche parecía estar muy satisfecha. Bertoul tuvo algunas dudas, pero acabó confiando a las alforjas su apreciado zurrón, en el que había vuelto a meter el rabel y el tamboril. Ambos fardos quedaron como sepultados y nadie habría podido adivinar el valor de su contenido: las joyas y plantas de la muchacha y los instrumentos y el manuscrito de Bertoul. Salieron del recinto vallado llevando por el ronzal a su nueva adquisición, a la que Blanche puso inmediatamente el nombre de Nube, en honor, según ella, al color de su pelaje y a su aire soñador.

—¿Cómo puedes decir que un caballo tiene un aire soñador? —comentó Bertoul meneando la cabeza.

El chico rascaba entre las orejas al animal, en tanto que Blanche le acariciaba el cuello.

—Muy sencillo, sólo tienes que mirar esos grandes y dulces ojos...

—¡Mira, una Rueda del Destino! —la interrumpió Bertoul al ver una gran rueda de madera que un titiritero hacía girar en un extremo de la calle.

Olvidando su discusión, se acercaron con curiosidad.

—¡Acérquense, gentiles damas y apuestos caballeros! ¡Venid a probar vuestra suerte en la Gran Rueda de la Vida! ¡Aproxímense para conocer el destino que la vida les reserva! ¡Hermosas señoritas, jóvenes arrogantes, enamorados todos, haced girar la rueda! ¡Conoced vuestro porvenir por muy poco dinero!

El feriante llamaba al público con su voz estentórea, mientras un acólito disfrazado de oso accionaba la rueda con una de sus patas.

La rueda tenía la altura de un hombre y giraba sobre un eje bien engrasado que no producía otro ruido que un zumbido regular. Su amplia esfera, pintada con vivos y alegres colores, estaba dividida en doce triángulos minuciosamente ornamentados con escenas simbólicas que representaban distintos episodios de la vida, con sus alegrías y sus pesares; y aparecía en su totalidad acribillada de pequeños agujeros.

—¡Eh! ¡Tú! ¿No quieres saber si la diosa Fortuna te sonreirá?

—¿A mí? —preguntó Bertoul.

—¡Pues claro! —ironizó el feriante—. ¿A quién si no?

—Anda, ve —dijo Blanche, dándole un pequeño empujón.

—Bien, bien, bien, ahora toma este arco, joven doncel —continuó el comediante—. Sitúate a diez pasos y dispara una flecha sobre este blanco que Martín, el oso, va a hacer girar.

Bertoul se subió las mangas, tomó el arco y, cuando la Rueda del Destino alcanzó una buena velocidad, disparó una flecha que se clavó, vibrante, en la madera.

El titiritero paró la rotación. La flecha se había clavado en una zona azul, salpicada de noche de estrellas. Se veía un viejo afligido blandiendo una hoz, un bosque bajo la luz pálida de la luna, una torre sombría con las ventanas enrejadas, un lobo merodeando, el vuelo de un búho.

—¡Qué raro es esto! —comentó Bertoul.

—¡Ah, mala señal, muchacho! Tu flecha está gobernada por Saturno, triste y solitario, y emisario de la desgracia. La vida te reserva un lóbrego calabozo, quizá muchas noches sin sueño o, en todo caso, sombra y oscuridad. Los búhos son portadores de la mala suerte, el lobo es un animal nocivo. Son signos de aflicción y de desgracia. Lo siento por ti…

—No es así —intervino Blanche—. La noche no significa desgracia. La noche es el tiempo en el que se prepara la jornada del día siguiente; de noche las plantas crecen, de noche se reza en los monasterios, de noche el panadero elabora su pan, de noche los sabios trabajan en sus descubrimientos. Los búhos nos libran de las ratas, y los lobos de los animales enfermos y muertos. La noche no es una prisión. ¡Ese presagio es una buena señal!

«¡Bueno, menudo discurso!», pensó Bertoul, asombrado ante tanta pasión y, además, a su favor.

El feriante rió con afable seguridad.

—¡He aquí una joven señorita que tiene a bien discurrir! Sin embargo, es también por la noche cuando, además de los lobos y los búhos, hacen sus estragos los demonios y las brujas, cuando merodean los bandidos y cuando el condenado aguarda sus últimos momentos.

—Gracias por la predicción —dijo Bertoul, depositando las moneditas ganadas poco antes en la mano del feriante—. Yo no le tengo miedo a la noche. Me gustan las estrellas. La predicción me es favorable.

—Es mi turno —dijo entonces Blanche, ocupando el lugar indicado.

Tomó el arco y la flecha, pidió que la Rueda comenzara a girar y disparó el dardo sin esperar un instante. La flecha alcanzó un triángulo en el que una mujer de largos y ondeantes cabellos rubios, puesta en pie y vestida de rojo, sostenía un cofre frente a un hombre arrodillado a sus pies, al que se veía de espaldas. No estaba claro quién le daba el cofre a quién. El decorado correspondía a la sala de un castillo, con sus baldosas blancas y negras, hermosos muebles y ricos tapices.

—La dama que aquí veis es la Prudencia —dijo el hombre con su voz retumbante—. Como podéis apreciar, ella no abre el cofre que el hombre le da porque no es curiosa, como habitualmente son las mujeres. Si lo abriera, ¿quién sabe qué mal podría salir de él? Mi linda señorita, la Rueda del Destino os recomienda no ser nunca curiosa y hacer exactamente lo que vuestro padre disponga o lo que vuestro esposo ordene. Así, si sois dócil y discreta, llegaréis a ser rica y habitaréis una hermosa mansión.

—Yo no lo veo así —intervino esta vez Bertoul—. Esa dama es la generosidad misma. Y le entrega al caballero que está a sus pies lo más precioso que tiene. Quizá sea su propio corazón.

—O quizá sea el caballero quien le da un valioso presente, tal vez su corazón, a la dama —apostilló Blanche.

Y los dos se echaron a reír al mismo tiempo.

El feriante, ofendido, gruñó:

—¡Si sabéis interpretar mejor que yo los signos de la Rueda del Destino, no sé por qué habéis tirado las flechas! Pero ya veréis… ya veréis…

La cara de desconcierto del hombre hizo reír aún más a Bertoul y a Blanche, pero, de golpe, la risa del muchacho quedó ahogada. En una esquina de la plaza acababa de aparecer Raoulet de Mauchalgrin, flanqueado a dos pasos por su inseparable Griffon le Réchin.

—¡Es Raoulet! —resopló Bertoul.

Por su parte, Blanche se quedaba al mismo tiempo igual de sobrecogida.

En el otro extremo de la plaza, los cuatro hermanos Flamincourt, hartos del juego de dados en el que lo habían perdido todo salvo un puñado de centavos, llegaban con la intención de conocer su porvenir a cambio de las últimas monedas que les quedaban.

—¡Mis hermanos! —exclamó, espantada, Blanche.

Tanto unos como otros habían visto a su correspondiente fugitivo. Avanzaron hacia ellos sin saber que los tenían acorralados. Bertoul agarró la mano de Blanche para huir de Raoulet mientras ella sujetaba la brida de Nube, pero de este modo lo que hicieron fue acercarse a los hermanos Flamincourt.

—¡Por ahí no! —gritó Blanche intentando soltarse.

Pero era demasiado tarde y la muchedumbre estorbó su carrera. En un instante cayeron atrapados.

Gaubert y Gauderic agarraron a Blanche por los brazos y le arrancaron su cofia de tela, mientras Gautier y Gauderic le cortaban el paso a Bertoul.

—¡Felizmente hemos encontrado a nuestra linda hermanita!

—A pesar de ir tan hábilmente disfrazada.

—Tenemos también al cómplice que le ayudó…

—…Y que haremos ahorcar rápidamente.

—¡Un bonito ahorcamiento como fin de fiesta de tu boda! ¡Tu novio Josce de la Bordonne apreciará el detalle!

Mientras los cuatro hermanos rodeaban estrechamente a sus dos cautivos, Raoulet apretó los dientes, asistiendo de lejos, impotente, a la captura de Bertoul. Optó por retroceder en silencio en lugar de hacerse ver y reclamar al prisionero. Era muy arriesgado hacer frente a cuatro adversarios aparentemente en muy buena forma, que no se dejarían arrebatar tan fácilmente la presa.

—¡Pensar que lo he encontrado y no he podido ni acercarme! ¡Es necesario que invente algún pretexto urgentemente! Rápido, Griffon, ¿se te ocurre alguna idea?

—Mmm... —dijo Griffon sin comprometerse.

—Puedo seguirles y desertar del servicio del Barón Audouin, pero me arriesgo a tener que aguantar luego sus recriminaciones sin cuento. Claro que puedo decir que me he perdido, y no volver hasta mañana... ¿Qué piensas tú?

—Mmm... —repitió Griffon.

—Sí, tienes razón, vamos a seguirlos de lejos. Tanto peor para el torneo de esta noche.

Durante ese tiempo, Blanche y Bertoul no dejaron de debatirse, aunque no parecía haber muchas esperanzas.

—¡Dejadle! —gritó Blanche—. ¡Ni siquiera le conozco!

—¿Ah, no? ¿Y te agarraba de la mano? ¿Esperas que te creamos?

—¡Te has dejado arrastrar por un palurdo! ¡Has renegado de tu sangre y de tu rango!

—¿Es digno de una noble lo que has hecho? Merecerías ser castigada.

—Sin embargo, vamos a ser generosos, más aún, magnánimos, a pesar de tu traición y tu desvergüenza hacia tu novio.

—Nos conformaremos con casarte y con colgar a este palurdo justo entre la ceremonia y el banquete.

—¡Y no te resistas más! ¡Es inútil!

—Vamos a buscar los caballos. Que ellos vayan andando. Los dejaremos a buen recaudo en nuestra torre de Anzat, que no está lejos de aquí, para que pasen allí la noche.

—Les buscaremos un buen calabozo.

Todo ocurrió después a gran velocidad. Aparecieron cuatro caballos, y los dos fugitivos fueron rodeados por las monturas. De esa guisa, el pequeño grupo abandonó la ciudad de Virelet. Tras ellos, Raoulet de Mauchalgrin y Griffon le Réchin los seguían de lejos llevando sus caballos por las riendas.

Nube había desaparecido.

⟲SORTILEGIO⟳
para curar las fiebres

Mata un lobo
y sácale el ojo derecho.
Mete ese ojo en un recipiente lleno de sal.
El ojo así dispuesto, enrollado al brazo,
cura todas las fiebres.

24

Herméticamente rodeados por los cuatro hermanos Flamincourt, ahora muy felices con su buena captura, Blanche y Bertoul iniciaron una larga y extenuante marcha por caminos ásperos y pedregosos que hicieron padecer a sus tobillos el lacerante dolor de las torceduras.

—El feriante del oso tenía razón —rezongó Blanche—. Si no hubiese sido tan curiosa acerca de mi porvenir, jamás habríamos perdido el tiempo en la Rueda del Destino y a esta hora estaríamos muy lejos de aquí.

Bertoul, con la mandíbula y los puños apretados, pensaba que había fracasado en su misión. ¿Qué sería ahora del manuscrito? El viejo mago no lo recuperaría jamás, y la señora Hermelinda no sería perdonada. En cuanto a él mismo, ¡en buen apuro estaba metido! La Rueda del Destino, que a través de la voz del feriante le había predicho aflicción y desgracia, no se había equivocado. Claro que él no tenía la intención de darse por vencido. Y lo primero de todo era salvar el pellejo.

—No temas —le dijo a Blanche entre dientes—. Encontraremos un medio de escapar.

Quiso que sus palabras sonaran convencidas, pero no pudo impedir, al cabo de un rato, pasarse la mano por el cuello como si ya pudiera sentir la cuerda anudada.

—Tú no los conoces —murmuró Blanche—. Son crueles y salvajes.

—Saldremos de ésta, ya lo verás —le aseguró Bertoul en el mismo tono convencido—. Además, después de todo son tus hermanos. Seguro que podrás ablandarlos.

—Ellos y yo no tenemos nada en común —dijo Blanche con una buena dosis de desprecio en la voz—. No esperes nada de ellos. O, mejor dicho, no esperes nada bueno de ellos... Ya les has oído...

—Entonces, razón de más para buscar el medio de salir de esta situación.

Aunque hablaban en voz muy baja, el pequeño conciliábulo acabó por llamar la atención.

—¿Lo estáis viendo? ¡Ese palurdo tiene la osadía de galantear y cortejar con su carita encantadora a nuestra hermanita! —dijo entre risas Gautier de Flamincourt.

—¡Y nuestra querida Blanche le da gentilmente la réplica! —continuó Gauderic.

—¿Nuestra hermana, decís? ¿Esa campesina con refajos, esa sirvienta sucia y despeinada? ¡No me hagáis reír!

—¡Ella soñaba con un rústico patán en lugar de con un noble señor!

—¡Felizmente nosotros somos más juiciosos que ella!

—¡Por eso ahora vamos a abrirle los ojos y a casarla según su rango!

Siguieron durante algún tiempo riéndose de Bertoul y Blanche, quienes optaron por un prudente silencio: bastante tenían con procurar caminar con los menos tropiezos y golpes posibles. El final de las burlas se produjo cuando el grupo llegó a una gran llanura, lúgubre y cenagosa, en la que los caminos apenas visibles, a flor de agua, formaban un complejo entrelazado, en medio del cual se erigía la torre de Anzat. Aquella vieja y deteriorada construcción estaba encomendada a la vigilancia de un único guardián y pertenecía a la familia Flamincourt desde hacía ocho generaciones. Durante todo aquel tiempo no se había realizado en ella obra o reparación alguna y la hiedra la cubría con pesados festones que ocultaban las ruinosas almenas, semejantes a dientes rotos.

—¡Eh, Maugier! —gritó Gaubert cuando llegaron al portón, cerrado con un rastrillo herrumbroso.

Un ojo apareció en el ventanillo.

—¡Mis queridos señores! ¡Mi joven señorita! —gritó una voz ronca.

La puerta, algo carcomida pero todavía sólida, se abrió al tiempo que el rastrillo acababa de elevarse bajo la acción del contrapeso.

—Estoy muy contento de veros, mis jóvenes señores —exclamó Maugier, el guardián, que debía de aburrirse lo suyo en aquella siniestra torre.

Los hermanos Flamincourt desmontaron, se quitaron sus guantes, recorrieron el patio en pocas zancadas y penetraron en la torre, oscura y desprovista de cualquier mobiliario.

Era un edificio alto y cilíndrico, que tenía adosado un cuchitril que hacía las veces de cuerpo de guardia y al que un estrecho muro horadado comunicaba con la única puerta de entrada.

La torre constaba de tres pisos comunicados por una escalera escarpada como una escala de molinero e iluminada por medio de mezquinas aspilleras.

—¿Hay aquí algún lugar seguro donde podamos dejar a estos prisioneros? —preguntó Gaubert.

—Desde luego, mi señor —respondió Maugier.

—¿Arriba del todo?

—¡Oh, no, mucho mejor que eso! —objetó el guardián golpeando con su talón para designar el lugar apropiado—. Aquí, bajo la trampilla. En el viejo almacén de víveres.

—¡Ah, sí, la mazmorra! —recordó Gaubert.

Un cuadrado de madera guarnecida provisto de una gruesa argolla de hierro destacaba en mitad de aquel suelo de tierra. Maugier metió una mano en la argolla y, no sin gran esfuerzo, levantó un grueso tablero de planchas reforzadas.

—¿Quiénes son los prisioneros? —preguntó.

—Estos dos —dijo Gauderic, señalando con el mentón a Blanche y a Bertoul.

—¡Oh, no, la joven señorita no puede ser! —protestó el guardián.

—Lo es. Y cuida, por tu bien, que esté bien custodiada. Ahora busca una escala y bajémoslos ahí dentro.

En un santiamén, una escala fue acoplada al borde de la trampilla, hundiéndose en las profundidades del viejo almacén de grano, también utilizado a veces como cárcel.

—¡Vamos, abajo! —ordenó Gaubert a sus dos prisioneros, señalándoles el oscuro calabozo.

Con el alma angustiada, Bertoul se agarró a los primeros travesaños de la escala y descendió hasta el fondo de la mazmorra. Blanche, temblorosa y con los dientes castañeteándole, le siguió.

—Volveremos a buscarte para tu boda —le gritó Gaubert a su hermana.

—Y para ahorcar a tu cómplice —subrayó Gautier.

Sus voces y sus risas reverberaron contra las paredes desnudas y se propagaron como perversos ecos.

Las cuatro siluetas de los hermanos Flamincourt se recortaron como negras sombras en el borde gris de la abertura, muy por encima de Bertoul y Blanche.

La escala fue recogida. La trampa, sobre sus cabezas, produjo un ruido siniestro al cerrarse. Los dos jóvenes quedaron sumidos en la más absoluta negrura.

Blanche profirió un grito de pánico. Bertoul intentó consolarla:

—Ten ánimo. Ya encontraremos la forma de salir de aquí.

Raoulet de Mauchalgrin y Griffon le Réchin habían seguido de lejos a la pequeña comitiva hasta verla entrar en la torre de Anzat. Apostado sobre una elevación cubierta de hierba, Raoulet se esforzaba por sacar conclusiones acerca de lo que acababan de ver.

—¿Quiénes son esos? —se preguntaba en voz alta—. ¿Y esa chica? ¿Qué está pasando? ¿Y por qué ese ladrón no lleva el maldito libro consigo? Porque, no lo llevaba, ¿no es verdad?

—Mmm… —dijo le Réchin.

—No, es seguro, no habría podido disimularlo bajo las ropas. Va a ser necesario, pues, entrar ahí con astucia y sacarlo de esa torre para arrancarle como sea el lugar donde ha escondido el libro de magia.

—Mmm…

—Cuento contigo para hacerle confesar lo más rápido posible.

A Raoulet la pareció discernir una especie de sonrisa de satisfacción a través de la espesa barba negra de Griffon.

—Esperaremos a la noche, creo que será más fácil hacerlo cuando todos estén durmiendo. Faltaré al servicio de los Fougeray y no participaré en el torneo, pero ¡qué se le va a hacer! Ya volveré a mi puesto mañana.

Dicho esto, Raoulet y su esbirro procedieron a instalarse lo más cómodamente posible sobre la herbosa colina que dominaba el pantano y la torre de Anzat.

—Volveremos mañana o pasado mañana —le advirtió Gaubert de Flamincourt a Maugier antes de montar en su silla—. Puede que dentro de tres días. Vigílalos bien.

—No hay riesgo de que se escapen —dijo el guardián.

—Eso espero —respondió Gaubert—. Échales algo de comer una vez al día hasta que nosotros regresemos.

—¿Y si tardaran más tiempo en volver, mis señores?

—Estaremos pronto de regreso, tenlo por seguro, pues debemos casar a nuestra hermana. Pero si así no fuera, bien podrían estar ahí metidos unos cuantos años, siempre que les arrojes cada día un pan y un pellejo con agua.

—Eso sería muy cruel, mi señor —aventuró Maugier, quien con gran sorpresa descubrió que tenía un espíritu sensible.

—Ella ha traicionado a su familia. No merece otra cosa.

—¿Y si le proporcionara a la señorita una lámpara de aceite o una antorcha?

—De ningún modo. Meditar en la oscuridad le sentará bien. Bueno, al caballo todos, tenemos mucho que hacer…

Los cuatro hermanos Flamincourt salieron de la torre de Anzat a galope tendido, mientras Maugier cerraba tras ellos, absorto, el rastrillo y el portón.

—¿Dónde vamos ahora, Gaubert?

—¿A buscar al novio y a preparar la boda?

—¿Retornamos a la feria de Virelet, a ver si ganamos algún dinero con los dados?

—También podíamos participar en el torneo de esta noche, ¿no os parece?

—¿Y por qué no las dos cosas?

Gaubert, el jefe de familia, reflexionó un instante.

—Volvamos a Virelet —decidió—. Allí hay dinero que ganar. Así, mañana iremos a darle la buena nueva a Josce de la Bordonne y, de paso, tendremos una buena bolsa de escudos que ponerle en las manos para que nos perdone por lo ocurrido.

Desde su observatorio, Raoulet de Malchalgrin los vio alejarse.

—Así que se van... Mucho mejor, la vía está libre. Apenas habrá uno o dos soldados custodiándolos. Tendremos que darnos prisa en hacerlo. Sobre todo tú.

—Mmm...

—Pero habrá que ir con precaución, todo este lugar está rodeado de ciénagas. Esa debe ser la razón por la que construyeron la torre aquí. ¡Cuántos imprudentes se habrán hundido en esos pantanos! Basta con desviarse un poco de los caminos de tierra firme. Y a estos apenas se les ve.

—Mmm...

—No te preocupes, estoy seguro de que nos las arreglaremos. Lo importante es atrapar a ese músico y que nos diga dónde está el libro. Ya falta poco para el atardecer. Entonces actuaremos.

—Mmm...

«¡Este Réchin!», pensó Raoulet suspirando por dentro. «¡Tiene menos conversación que el caballo!»

—¡Estamos perdidos! —se lamentó Blanche.

Su voz, aguda y temblorosa a causa del miedo, se perdió en la inmensa y opaca negrura de la mazmorra, retumbó contra la bóveda, que pareció lejana, e hizo correr asustados a algunos animales: ratas, probablemente, y también arañas y cochinillas.

—Tengo miedo. Vuelvo a tener la sensación de estar ciega como hace días —siguió diciendo con voz entrecortada, antes de ponerse a gritar a pleno pulmón—: ¡Socorro! ¡Socorro! ¡Guardia, tú me conoces, sácanos de aquí! ¡Te daré todas mis joyas!

¡Auxilio! ¡No quiero quedarme a oscuras! ¡Dame al menos una pequeña antorcha!

—No te está oyendo —le dijo Bertoul con tono más tranquilo—. Y en cuanto a tus joyas, ni siquiera sabes dónde pueden estar. Lo mismo me pasa a mí con mi... en fin, con el... el libro. No estamos en una buena situación, pero tampoco sirve de nada desesperarse.

—¡Oh, Bertoul, tú siempre tan frío y razonable! ¿Dónde estás?

—Aquí, a tu lado.

Él la tocó en el hombro y ella gritó asustada, sacudiéndose el brazo con un gesto de pavor.

—¡Una rata! ¡Me ha caído encima!

—No, era simplemente mi mano. No tengas miedo.

—¡No puedo no tener miedo! —se exasperó ella—. ¡No puedo! ¿Qué vamos a hacer?

Bertoul agarró su mano e intentó tranquilizarla.

—Escucha, Blanche, yo sí puedo ver, como si estuviésemos en penumbra. Voy a describirte nuestra situación y...

—¿Y qué ganaremos con eso? Se han llevado la escala por la que hemos bajado a este agujero y han cerrado la trampilla, que además está fuera de nuestro alcance. Que veas o no veas no cambia las cosas.

—Sí las cambia, porque ellos no han tenido en consideración qué cosas puede haber en esta mazmorra que nos ayuden a escapar.

Ante estas palabras, Blanche se calmó y apremió a Bertoul para que le diera una descripción detallada del lugar.

—Estamos en una especie de cueva de unos diez o doce pies* de profundidad y otros tantos de anchura —describió Bertoul—.

---

* Medida de longitud que equivale a unos treinta centímetros.

El techo está abovedado, y la parte inferior de la trampilla está en mitad de la bóveda, justo encima de nosotros. Por lo demás, la cueva está completamente vacía.

—¿No hay nada?

—Nada, aparte de algunos bichos, como ya puedes suponer. Pero, si eso te tranquiliza, te diré que no hay ratas.

—Me dan igual las ratas. ¿Qué más?

—Nada más. No hay reservas de víveres, ni viejos sacos de grano, ni antorchas abandonadas, ni el menor taburete o caja o soporte por el que alzarnos hacia la trampilla.

—En tal caso, no hay esperanza de salir —gimió ella completamente abatida.

—Creo que sí. Escucha esto.

Él la dejó sola en medio de la oscuridad y se alejó dos o tres pasos. Entonces se oyó, incongruente en aquel tupido silencio, un pesado ruido metálico. Era aterrador. A Blanche se le cortó la respiración.

—¿Qué... qué es eso? —gritó alarmada.

—Voy a hacerlo otra vez.

El ruido sonó de nuevo y pareció retumbar, cada vez más fuerte, hasta lo alto de la bóveda.

—¿Pero qué es eso? —insistió Blanche.

Tendía las manos ante sí, y se giraba a un lado y otro sin atreverse a dar el menor paso por miedo a golpearse o a caer en algún agujero.

—Piénsalo un poco. Porque es nuestra salvación.

—No... de verdad que no lo sé...

Bertoul dejó que transcurrieran unos segundos, antes de decir triunfalmente:

—¡Una cadena!

—¿Una cadena?

EL SECRETO DE LOS BÚHOS

Blanche parecía decepcionada o, cuando menos, dubitativa.

—Bien, te lo voy a explicar: la cadena está metida en un anillo fijado a la bóveda, justo al lado de la trampilla. Se trata seguramente de un antiguo sistema para bajar los sacos de grano y los toneles. Voy a trepar y a levantar la trampilla. Entonces podrás ver con claridad. Luego saldré, buscaré la escala y volveré a buscarte.

—¿Y si la cadena se rompe, Bertoul? ¿Y si está demasiado oxidada para soportar tu peso?

El muchacho se acercó a ella y la tomó por el brazo para conducirla hasta la providencial cadena.

—Vamos a ver —dijo dirigiendo la mano de Blanche hacia los gruesos eslabones de hierro.

—Como ves, parece sólida. Si nuestra buena estrella nos ha puesto esta cadena al alcance de la mano, debemos aprovecharla. Ahora voy a comenzar a trepar.

Bertoul no parecía acusar la fatiga de la larga caminata de aquella mañana, ni la de los días precedentes. Era como si el enorme peligro del momento por el que atravesaban le hubiera enardecido y dado nuevas fuerzas.

—Eres un músico muy curioso —dijo Blanche hablando en la oscuridad, dirigiéndose hacia donde imaginaba debía estar Bertoul—. Si no me equivoco, te encanta meterte en toda clase de líos.

—No seas tonta —fue la respuesta de Bertoul.

Por el sonido de su voz, ella supo que se encontraba bastante alto. Sin embargo, ¿tenía que soportar que un villano, un pueblerino, la llamase tonta? En fin, tenía que reconocer que, a pesar de esa condición humilde, Bertoul Buenrabel no era como sus muy nobles hermanos: imbéciles redomados que no reunían entre los cuatro el cerebro de un chorlito. Y que ella, Blanche de

Vauluisant se sentía con él... ¿cómo decirlo?... en territorio conocido. Sí, por el más grande de los azares, Bertoul Buenrabel se había cruzado en su camino. Y, algunas veces, el azar hacía bien las cosas.

—¿Estás bien, Bertoul? —preguntó ella un poco a ojo.

—He llegado arriba. Ahora voy a intentar mover la trampilla.

Oyó cómo la cadena se movía y rechinaba mientras él intentaba con todas sus fuerzas desplazar el pesado tablero de madera. De golpe, se produjo un fuerte ruido y brotó de lo alto un relámpago grisáceo: la trampilla se desplazaba a un lado y un chorro de luz llegó hasta el fondo de la mazmorra.

Blanche pudo ver entonces cómo Bertoul se encaramaba hacia la abertura y salía del agujero, para, inmediatamente, desde el borde, inclinarse y mirar hacia donde ella estaba.

—Voy a buscar la escala —le dijo.

—Ten cuidado con Maugier, no puede andar muy lejos —le aconsejó Blanche.

—Lo tendré —dijo, ya alejándose, la voz de Bertoul.

Blanche lo perdió de vista, pero, al menos, ya no estaba en la oscuridad total. Mejor que perder el tiempo esperando a su compañero, decidió arrebujarse la falda de manera que rodease sus piernas y quedase finalmente colocada como si se tratara de un inmenso pañal. Luego se aferró a la cadena con las dos manos, preguntándose si sería capaz de trepar hasta arriba.

Nube, el caballo blanco moteado de gris, erraba sin dueño por la plaza donde el feriante y su falso oso hacían girar la Rueda del Destino. Nadie parecía darse cuenta de que ninguna persona le sujetaba por la brida o cabalgaba sobre su silla. De modo que el robusto animal pudo recorrer calles y plazas tranquilamente con un ligero trotecillo. En una de sus alforjas seguía el fardo con las joyas y las hierbas de Blanche, y en la otra el que contenía los instrumentos de Bertoul y el manuscrito del rubí.

De repente, hecho insólito por tratarse del mediodía y en plena ciudad, aparecieron dos majestuosos ejemplares de gran duque* que sobrevolaron silenciosamente por encima de la feria.

—¡Mirad! ¡Son búhos! —gritó un niño.

—¿En pleno día? ¡Eso no es posible!

—Pues sí lo es, mirad...

—¡Oh, esto no es buena señal!

Numerosos viandantes, temiendo que los maléficos pájaros nocturnos no fueran sino el fatídico anuncio de una futura desgracia, se persignaron o murmuraron una oración. Un aprendiz de herrero agarró una piedra y se la arrojó con fuerza. Los búhos esquivaron la pedrada, pero el proyectil cayó sobre una ciudadana. El marido de la apedreada blandió su bastón y fue en busca del joven herrero con afán justiciero, lo que, en un instante, desencadenó una buena trifulca en aquel rincón de la feria. Cuando volvió la calma, todo el mundo había olvidado a los búhos. Y el caballo blanco moteado de gris ya no estaba por allí.

Las rapaces procuraron a su manera guiar a Nube a través de las calles abarrotadas, impidieron que se extraviara y lo condujeron hasta la salida de la ciudad por la Puerta de los Ballesteros. Los soldados de guardia, ocupados en controlar a los que entraban y en hacerles pagar las tasas e impuestos, ni siquiera repararon en que un animal sin dueño abandonaba la villa.

El caballo atravesó los arrabales de Virelet, cruzó un pequeño puente de madera y continuó su trote hacia campo abierto sin

---

* Con el nombre de «gran duque» se conoce a una variedad de búho europeo, el de mayor tamaño entre los de su especie. También se le conoce como «búho real».

ser molestado. Los búhos, desde lo alto, velaban por que siguiera la ruta que habían elegido para él. Se cruzaban ante sus ojos y le hacían desviar la cabeza, rozándolo con sus suaves alas, hasta que tomaba la dirección deseada. De cuando en cuando, Nube se detenía para resoplar o masticar alguna hierba. No parecía tener ninguna prisa y los búhos le vigilaban sin ansiedad, sobrevolándolo en amplios círculos. Finalmente, cuando ya empezaba a anochecer, el caballo, así conducido, llegó a los márgenes de una vasta zona pantanosa que rodeaba una torre elevada en lontananza. Allí se quedó quieto y se puso a mordisquear unos, más bien, correosos juncos.

—¿Qué significa ese caballo que veo a lo lejos, al otro lado de la torre? —se extrañó Raoulet.

—Mmm… —respondió Griffon le Réchin.

—¿Qué estará haciendo aquí? Bah, no es más que uno de esos caballos que tienen los campesinos, enormes y tan estúpidos como los asnos, que habrá roto su ronzal y se habrá escapado. No nos preocupemos más y revisemos nuestro plan. En cuanto anochezca del todo, nos presentaremos en la puerta de esa torre y fingiremos ser dos nobles viajeros extraviados en demanda de hospitalidad. Luego, nos apoderaremos de la torre, encerrando a los guardianes o matándolos si es preciso. Tú puedes encargarte de eso…

—Mmm…

—Después registraremos por todas partes hasta encontrar lo que buscamos.

—Mmm…

—Entonces será tu turno de actuar, Griffon, como tú sabes. El pobre imbécil confesará, sin la menor duda, lo que quiero saber. Y en pocas horas el libro estará en nuestras manos.

—Mmm...

—Después del alba volveremos a Virelet, donde la feria aún va a durar varios días. Le diré a mi maestro que me perdí cerca del pantano cuando cayó la noche y que tuve que buscar refugio en esa torre, lo cual será la pura verdad. Sí, decididamente todo parece estar bien combinado. Tendré el libro y el viejo Fougeray no sospechará nada.

Raoulet de Mauchalgrin se frotó las manos. Todo parecía presentársele bajo los mejores auspicios.

⦁SORTILEGIO⦁
para que el amor no se debilite

Un viernes, durante el primer cuarto de luna,
confecciona una pequeña bolsa de tela verde
y mete en ella una flor de romero y una pizca de sal.
Ata la bolsa
con una cinta también verde
y deposítala al pie de tu cama.
Así, el amor entre la persona que comparta
esa cama y tú
no se debilitará nunca jamás.

25

C ON UN GEMIDO EXHAUSTO, apoyándose en el suelo de tierra, Blanche hizo el último esfuerzo para salir del agujero. Se puso en pie y frotó sus manos, cubiertas de herrumbre, una contra la otra. Acababa de desenrollarse las faldas cuando llegó Bertoul cargado con la escala.

—He conseguido salir —le anunció Blanche, no sin orgullo—. ¡Yo sola!

«No cabe duda», pensó Bertoul, «de que esta chica sabe arreglárselas por sí misma.»

—Serías una buena acróbata —le dijo—. Entre los dos podríamos organizar un bonito espectáculo para exhibir en las ferias y los castillos...

«¡He aquí un curioso cumplido!», pensó Blanche. Si bien, imbuida de su rango, comenzó a decir:

—Yo en los castillos soy recibida de otra...

—Sí, ya lo sé —le cortó Bertoul—. He dicho una tontería. Perdóname.

—No, si quizá tengas razón —rectificó bajando la cabeza—. Quién sabe si algún día volveré a ser una noble dama. Debo estar preparada para todo.

—Recuperarás tu posición —le aseguró él—. Si antes logramos salir de aquí, naturalmente.

—Pues vamos allá.

Durante un instante, por la mente de Blanche cruzó el pensamiento de que el mejor medio de recuperar su posición era resignándose a aquel matrimonio que tanto le repugnaba. Era a la vez tan sencillo y tan nauseabundo...

Arrojaron la escala al interior del calabozo y cerraron la trampilla. Luego, con infinitas precauciones, salieron de la torre y echaron una ojeada al exterior, descubriendo un patio descuidado e invadido por la maleza que estaba rodeado por una muralla desigual. A modo de unión entre la muralla y la torre se levantaba la vivienda del guardián, situada enfrente del portón que estaba herméticamente cerrado.

—Será muy difícil pasar por ahí —observó Bertoul con voz apagada—. ¿Ves al guardián? Hace la vigilancia justo frente a la puerta.

En aquella penumbra cada vez más espesa, Blanche no veía nada, pero tampoco importaba demasiado.

—Podría apelar a su compasión —propuso ella.

—Demasiado arriesgado —dijo Bertoul—. No, tenemos que salir escalando la muralla. No es demasiado alta, y además está medio derruida en dos o tres sitios. Hay piedras desprendidas que pueden servir de escalera.

—Pero no sabemos lo que vamos a encontrar al otro lado.

—Sabemos a lo que nos arriesgamos si nos quedamos aquí, de modo que no hay elección.

—Muy bien —dijo Blanche.

Nuevamente, la joven se recogió la falda alrededor de sus piernas y ambos se dirigieron hacia el emplazamiento más accesible de la muralla que, por suerte, se hallaba a espaldas del puesto de guardia. Emprendieron la ascensión y Bertoul pudo constatar que Blanche no era nada torpe a la hora de agarrarse a los salientes de las piedras o de colocar la punta del pie en el lugar más adecuado. Pronto llegaron a lo alto y se sentaron a horcajadas sobre el muro, desde donde pudieron contemplar el paisaje que había a la redonda.

Estaba anocheciendo y el cielo lucía un color violeta sombreado con jirones rosáceos y anaranjados. Del pantano surgían largas estelas vaporosas semejantes a ingrávidos velos de novias fantasmales.

Tuvieron tiempo de ver, con los últimos rayos del sol poniente, una complicada red de caminos que serpenteaban al mismo nivel que el agua de las ciénagas; agua densa y salobre que espejeaba con brillos metálicos, traidora por la trampa mortal que encerraba. Parecía, en conjunto, un laberinto de tonos mates y brillantes que alternativamente ocultaban y desvelaban los movedizos cendales de bruma.

—Tenemos que darnos mucha prisa —dijo Blanche—, o nos perderemos.

Bertoul extendió el dedo hacia un punto blanquecino que había a la derecha.

—¿Qué ves allí? —preguntó.

—Un animal. Bastante grande. ¿Crees que puede ser un lobo?

—Míralo mejor. Tú especialmente deberías poder reconocer a nuestro…

—…¡Caballo! —completó Blanche con un grito de triunfo—. ¿Es de verdad Nube? ¿Está bien?

—Lo es sin ninguna duda —respondió Bertoul—. ¡Reconozco desde aquí sus ojos soñadores!

Ella le lanzó una mirada de través.

—Y sobre todo veo sus alforjas. Parecen estar llenas, así que nuestros fardos deben estar aún dentro. Vamos, vayamos cuanto antes a su encuentro.

—¡Maldición! —gritó Raoulet de Mauchalgrin poniéndose en pie de un salto—. ¡Me parece que veo movimiento allá arriba, sobre la muralla! ¡Es él! ¡Y está tratando de huir! ¡Con la campesina!

—Mmm… —confirmó Griffon levantándose a su vez, aunque con más lentitud.

—Si corremos, los podemos agarrar en cuanto bajen del muro. La chica me da igual, pero a él le podemos hacer confesar ahí mismo y asunto solucionado.

Arrastrando consigo al gigante y a los dos caballos, Raoulet se dirigió a toda prisa hacia el lugar donde Bertoul y Blanche pretendían descolgarse, al pie de la muralla oeste.

El color del cielo cambiaba a toda velocidad. Los tonos rosáceos y anaranjados se habían apagado, y en torno al punto en el que el sol había desaparecido ya no quedaba sino un intenso resplandor purpúreo que viraba hacia un azul cada vez más oscuro. Una estrella había comenzado a brillar.

—Es Venus —dijo Bertoul.

—¿Cómo lo sabes?

—Lo sé, eso es todo…

Otras estrellas se fueron encendiendo, una tras otra, en el cielo. Pronto no hubo al oeste más que una vaga claridad violácea. La niebla se fue haciendo más densa: muy baja, muy espesa y muy blanca, se desbordaba ahora sobre la totalidad de lo que un instante antes era una extensión de agua reluciente.

Bertoul inició el descenso a lo largo del muro. Había pocas piedras que sobresalieran por aquel lado, pero la hiedra había crecido tan espesa que los troncos entrelazados permitían posar fácilmente el pie y hacerse una senda hasta la parte baja de la muralla.

—¿Cómo vamos a encontrar el camino en ese puré de guisantes? —murmuró Blanche, todavía a horcajadas sobre el muro.

La niebla era ya tan compacta que no podía ver ni rastro del pantano.

—Baja agarrándote a la hiedra —le aconsejó Bertoul levantando la cabeza hacia ella—. Date prisa.

Apenas había dado unos pasos por aquella escalera vegetal, cuando percibió varias voces: una de ellas era amenazante y la otra parecía un bordoneo grave y continuo que se limitaba a un sonido único, una especie de «Mmm...». Mezclado con ellas oyó ruidos de cascos que chapoteaban en la tierra empapada.

—¡Maldito músico! ¡Por fin te encuentro! Ahora vas a decirme dónde está el manuscrito... —gritó la voz, aún distante, de Raoulet.

—Mmm...

—¡Blanche, baja deprisa! —gritó Bertoul con tono nervioso, casi enloquecido.

Ella obedeció sin tomarse apenas tiempo para asegurarse dónde apoyar, raspándose las palmas con los troncos de la hiedra.

Casi estaba abajo cuando Bertoul volvió a apremiarla:

—¡Deprisa, deprisa!

Desgraciadamente, el talón de Blanche quedó atrapado en una especie de horquilla vegetal. La joven dio un grito. Ya no estaba lejos del suelo, pero no conseguía soltarse.

—¡Rápido! —volvió a gritar Bertoul.

—¡No puedo! ¡Estoy enganchada en la hiedra!

—¡Oh, Dios! —dijo el chico entre dientes.

Alzándose de puntillas, agarró el pie de Blanche y lo sacudió sin contemplaciones hasta que consiguió soltarlo.

—¡Ay!

—Salta de una vez y vámonos.

La voz aguda sonó entonces más cercana:

—Tú no vas a ir a ninguna parte, condenado músico.

Raoulet apenas estaba a quince pasos de ellos. La niebla en aquel sector era lo suficientemente transparente como para que los dos jóvenes pudieran verse cara a cara.

Raoulet arrojó las riendas de los caballos a Griffon, que iba tras él, y se lanzó hacia Bertoul.

—¡Ya te tengo! ¡Ya te tengo! ¡Vas a devolverme lo que me pertenece, ladrón!

Sin dejarse impresionar ni atrapar, y sin perder tiempo en réplicas, Bertoul agarró con fuerza la mano de Blanche y se precipitó hacia una cercana y densa capa de niebla. La masa algodonosa los engulló instantáneamente.

—Es Raoulet de Mauchalgrin, ¿verdad? —preguntó Blanche casi sin aliento.

—¿Dónde estás? —oyeron chillar a Raoulet—. ¿Dónde ha ido, Griffon? Encuéntralo inmediatamente.

—Raoulet en persona —contestó Bertoul con voz ahogada—. ¿Quién va a ser si no? Caminemos más deprisa.

—¡Pero no vemos nada!

—No tengas miedo —la tranquilizó Bertoul—. En la niebla estamos seguros. No pueden seguirnos.

—Pero nosotros podemos desviarnos y hundirnos en el pantano…

—No hay peligro de eso —dijo Bertoul con seguridad.

Blanche comprendió entonces que su mirada no sólo podía ver en la oscuridad y distinguir lo más pequeño y lo más lejano, sino también atravesar la niebla como si ésta no existiera.

—Si puedes ver con claridad, ¿cómo sabes que estamos en medio de la niebla?

—Porque todo lo veo ligeramente gris —explicó él con brevedad—. Me acuerdo que cuando esto sucedía en Tournissan, era el único que podía ver.

«¡Y pensar que no se había dado cuenta de nada hasta ahora!» No muy lejos de ellos, Raoulet comenzaba a ponerse nervioso.

—¿Dónde estás, musiquillo cobarde? ¡Ven, que voy a sacarte los ojos!

—¡Por aquí! —oyó, lejana, la voz de Bertoul, quien, al parecer, se divertía con la situación.

—¡Aún se atreve a burlarse de nosotros! ¡Venga, Griffon, a por él!

Pero esta vez el gigante no emitió su acostumbrado gruñido.

—¿Cómo? ¿Qué te pasa? ¿Por qué no quieres ir? ¡No tendrás miedo de una ridícula niebla! ¡Tú, mi hombre de confianza! ¡Será a ti a quien saque los ojos si no te lanzas ahora mismo a perseguirle!

Fue entonces una de las raras ocasiones en las que Griffon le Réchin pronunció algo parecido a una frase:

—No es posible… demasiada niebla… no se ve nada… demasiado peligroso…

—¡Avancemos! ¡No hemos estado tan cerca para que ahora se nos escape! Vamos, camina… conduce a los caballos. ¿Dónde está el maldito camino?

—Mi señor Raoulet, ¿qué queréis de mí?

La voz de Bertoul no parecía próxima ni lejana, ni se sabía si venía de la derecha o la izquierda, de delante o detrás.

—¿Me vais a responder?

—Está por ahí, seguro. Vamos, Griffon.

—¿Acaso no sabéis dónde estáis?

—¡Maldito rascatripas, te arrepentirás de estas burlas! ¡Pluff!…

—¡Por la sangre de todas las brujas! ¡Me he hundido!

Raoulet, en medio del cieno negruzco y helado, maldijo al cielo, al músico del rabel y a su hombre de confianza.

—¿Dónde te metes, Griffon? Ven a ayudarme… ¿Has encontrado a ese Bertoul? ¡Aaahhh… son arenas movedizas! ¡Estoy perdido! ¡Juro que sacaré los ojos a ese maldito! ¿Cómo se sale de este laberinto?

—Mmm…

Las voces de Raoulet y de su esbirro, que llegaban hasta los oídos de Bertoul y Blanche, parecían cada vez más asustadas y, al mismo tiempo, más y más lejanas, ahogadas por el espesor algodonoso de la niebla.

—Creo que podemos estar tranquilos por un buen rato —dijo Bertoul.

—Confío en ti —consiguió articular Blanche, a la que, sin embargo, no dejaban de temblarle las rodillas.

Bertoul avanzó con paso rápido y seguro por senderos consistentes que sólo él veía, tomando a veces direcciones inesperadas y ángulos extraños, escapando siempre de las charcas fangosas y de las nauseabundas arenas movedizas.

Tiraba de Blanche con energía, sin detenerse en ningún momento. De cuando en cuando, el pie de la muchacha se zambullía en el lodo, pero Bertoul volvía inmediatamente a situarla en la buena senda.

—Ten cuidado —le aconsejó. Los bordes del camino no son estables y podrías hundirte en el cieno.

El cieno. Era viscoso y estaba helado. A punto había estado, en cinco o seis ocasiones, de que la ciénaga se tragara sus botines, a los que tenía que despegar con un fuerte ruido de ventosa. Se sintió repentinamente extenuada, aquella marcha a ciegas en la noche brumosa estaba agotando sus últimas reservas. Trató de ir más despacio, pero su compañero no parecía dispuesto a aflojar.

—Ya no puedo más, Bertoul.

—No es tiempo de lamentarse, Blanche. Debemos seguir. Vamos, sé fuerte. Ahora tenemos una ventaja sobre ellos y hemos de aprovecharla. Sería un error pensar que ya estamos completamente a salvo.

Sólo cuando Blanche comenzó a cojear sin remedio, aceptó Bertoul detenerse un instante para que recuperara el aliento y pudiera asegurarse las correas de sus botines. Pero la pausa no duró más que algunos segundos y él emprendió sin compasión el dificultoso avance a través del pantano.

—¡Tendría que haberme casado con Josce de la Bordonne!

—Si quieres —dijo él sin reír—, te vuelvo a llevar a la torre para que esperes a tus hermanos.

—No —suspiró ella jadeante—. Sabes bien que no quiero.

—Pronto estaremos fuera de peligro. Unas pocas vueltas más y habremos salido fuera del pantano. ¡La salida de este laberinto está ahí, a unos trescientos pasos!

¡Y decir que, entre la negrura de la noche y la densidad de la niebla, ella no podía ver ni su propia mano!

Blanche se preguntó si la señora Hermelinda no le habría dotado también a ella con algún fantástico don. ¡Ah, si le hubiera podido otorgar el de no experimentar la fatiga! Bertoul seguía tirando de ella implacablemente y estaba a punto de echarse a llorar de cansancio y desesperación.

En ese momento, él aflojó el paso y se volvió hacia ella.

—¿Qué te pasa? ¿Estás llorando?

Ella se enjugó las mejillas con el dorso de la mano, pero no respondió.

—¿Seguimos formando equipo? —preguntó él.

—Claro que sí —dijo con los ojos nuevamente húmedos.

—En ese caso, y como recompensa a tu lealtad…

Él le apretó la mano y le hizo avanzar algunos pasos. Inesperadamente, ella chocó contra una mole áspera y cálida. Un caballo blanco moteado de gris.

—¿Nube?

Blanche hundió su rostro en el cuello del animal y creyó que iba a ponerse a sollozar.

—Hemos encontrado a Nube en el laberinto del pantano —proclamó Bertoul sonriendo de oreja a oreja.

Blanche apreció su modestia; bien podía haber dicho: «Yo he encontrado a Nube».

Ahora el muchacho no parecía tan preocupado, aunque seguía escrutando sin cesar la cortina de niebla. Habían conseguido escapar de los hermanos Flamincourt y de Raoulet. Nadie sabía dónde estaban. Y, además, tenían un caballo.

Blanche permaneció largo rato con la frente apoyada en el cuello de Nube, dejando correr algunas lágrimas, mientras Bertoul volvía a ponerse en acción con gestos rápidos y precisos.

—Acabo de comprobar que nuestros fardos están aún en las alforjas. Con todas tus hierbas y… y lo demás. También están mis instrumentos y… y el manuscrito. Ahora debemos continuar.

—¿De noche? —gimió ella patéticamente.

—Por supuesto que de noche. No puede ser de otro modo.

—¿Y los malos espíritus?

—No podrán nada contra nosotros. Vamos, alejémonos lo más rápido posible de este lugar, porque todavía no estamos ni mucho menos a cubierto. El joven Mauchalgrin o tus hermanos van a seguir buscándonos.

—Me he quedado sin fuerzas —dijo Blanche exhausta.

—No las necesitas. Déjate llevar, eso es todo.

Bertoul cruzó las manos para que Blanche tomara impulso y subiera a la silla.

—Yo conduciré a Nube, no tengas miedo. Cuando pase la noche, estaremos lejos.

—¿Y tú, Bertoul, no estás agotado? ¿No necesitas descansar?

—No, estoy bien así —contestó.

Y comenzó a caminar llevando a Nube por la brida.

—¿Cómo habrá llegado hasta aquí? Me refiero al caballo —preguntó Blanche con la voz ya soñolienta.

—No lo sé. Quizá sea un caballo mágico. O habrá seguido nuestras huellas.

—No comprendo nada. Es todo tan extraño… —dijo ella dando ya las primeras cabezadas.

Tirando de Nube, Bertoul se alejó a buen paso del pantano de la torre de Anzat. No sabía hacía dónde dirigirse y optó por caminar en línea recta. Pero, al poco tiempo, una pareja de búhos se puso a planear frente a él. Entonces, sin plantearse ya ninguna duda, comenzó a seguirlos.

⚹SORTILEGIO⚹
para eliminar las verrugas

Mete en una caja pequeña
tantos guisantes como verrugas tengas.
Coloca la caja en un lugar a la vista.
La primera persona
que sienta curiosidad y abra la caja,
al ver los guisantes
cargará tus verrugas sobre su cuerpo.
El mal se traslada a los curiosos.

26

C LIPITI-CLOP, *CLIPITI-CLOP, clipiti-clop...* Al ritmo de las pisadas de Nube, Blanche durmió varias horas tumbada sobre las crines del animal. El propio Bertoul se quedaba, de vez en cuando, amodorrado en medio de su cadenciosa marcha, y entonces chocaba contra el flanco o la cabeza del caballo, lo que volvía a despertarlo durante algunos minutos. Por su parte, Nube seguía la ruta marcada por los búhos, como si, de hecho, continuara caminando en solitario.

La torre de Anzat, alzándose en medio de la niebla de su pantano, había desaparecido hacía ya bastante tiempo. Nube llevaba una buena zancada, y cuando los primeros grises del alba colorearon el cielo por el este, los fugitivos habían recorrido una considerable distancia.

—¿Dónde estamos? —preguntó Blanche abriendo un ojo todavía vidrioso.

—No lo sé —respondió Bertoul—. Vamos avanzando, eso es todo. Y no nos han seguido —añadió—, al menos por lo que he podido comprobar.

El paisaje a su alrededor se fue coloreando; atravesaban una región ondulada, cubierta de prados y campos, puntuada aquí y allá por algún pueblo lejano.

—¿Reconoces este paisaje? —preguntó Bertoul.

—En absoluto.

—Debemos intentar avanzar todo lo que sea posible a través de los bosques, así seremos menos visibles.

Blanche hizo detenerse a Nube y desmontó. Se sentía completamente anquilosada después de toda una noche a caballo, y comenzó a estirarse en todos los sentidos.

—Tengo agujetas por todas partes —observó—. Y tengo hambre.

—Yo también, pero no podemos detenernos —le amonestó Bertoul, al tiempo que tomaba las riendas y proseguía la marcha.

—Sin embargo, nos veremos obligados a hacerlo —dijo ella apresurándose a seguirle—. Nube necesitará descansar. Y, por supuesto, tú también.

—Pero no antes de que hayamos llegado allí —replicó él señalando con su dedo una espesa arboleda.

Sólo cuando se sintieron al resguardo de cualquier mirada, en el interior del bosquecillo, se permitieron darse un respiro. Bertoul, derrengado, se echó sobre la hierba y cedió al sueño. Blanche se puso a buscar un arroyo donde abrevar a Nube y asearse un poco.

La aurora tiñó el cielo de colores tornasolados. Era un maravilloso amanecer. ¡Qué lástima tener que huir! ¡La vida podía ser tan sencilla, tan hermosa, tan agradable!

Blanche regresó flamante, las mejillas sonrosadas y frescas, la falda cepillada, el cabello peinado y cubierto por una tela plegada en forma de cofia. Llevaba a Nube por la brida.

—Ha bebido a sus anchas —anunció al llegar.

—Bertoul se enderezó sobre un codo.

—Te prefería con el pelo suelto —le dijo.

Y al momento se ruborizó como si hubiese dicho algo improcedente.

—Bueno, tenemos que partir de nuevo —volvió a decir mientras se ponía de pie con dificultad, sintiendo los músculos entumecidos tras la noche de encarnizada marcha.

—Hay un arroyo por ahí —le indicó Blanche—. Puedes refrescarte.

Él obedeció a la insinuación. Ya había observado que las chicas son siempre muy puntillosas en lo que se refiere al aseo, y quizá no les faltase razón. Tras quitarse el jubón y la camisa, se dio un chapuzón, tiritó de frío, se peinó con sus diez dedos el cabello mojado y volvió a vestirse.

Cuando regresó junto a Blanche, ella le dijo:

—Ahora te toca a ti montar a Nube.

—¡Ni hablar! —gritó él espantado, reculando varios pasos.

—No es nada difícil, cualquier imbécil puede hacerlo.

—Yo no quiero.

—¿Tienes miedo?

—Naturalmente que no.

—En ese caso, voy a enseñarte lo que hay que hacer.

A pesar de sus protestas y de sus intentos por evitarlo, Bertoul se vio obligado a ceder a esta nueva decisión. Y así, no tardó mucho en verse encaramado por encima del suelo a una altura que consideró vertiginosa.

—No tengas miedo —le dijo Blanche con una sonrisa divertida.

—Yo… no tengo… no ten… go… mie… miedo… en… en absoluto.

—Eso está bien.

Ella agarró la brida de Nube y comenzó a andar.

—¡Para! —gritó él—. Me voy a bajar.

—De ninguna manera. Ahora me toca caminar a mí mientras tú te aprovechas de nuestra montura. Es lo lógico.

—Ay, ay, ay...

Le empezaron a castañetear los dientes. Tenía todo el rato la impresión de que iba a escurrirse por uno de los lados, o a caerse de boca.

Hacia el final de la mañana, tenía el trasero dolorido y la mandíbula crispada, pero se sujetaba en la silla con algo más de seguridad.

—Como has podido comprobar, no era tan difícil —bromeó Blanche.

—Hum... bueno. Ya es hora de que desmonte, ¿no?

—Hemos avanzado bastante. Aún podemos seguir otro buen rato.

—¡Piedad! —exclamó Bertoul—. ¡Quiero bajarme!

—Aún no. Desde esa altura tienes una mejor vista de los alrededores. ¿Ves a nuestros perseguidores?

—No —respondió Bertoul—. Y te aseguro que no dejo de mirar. Temo ver aparecer a Raoulet en cualquier momento.

—No olvides a mis hermanos.

—No, claro que no. Pero no se ve a nadie.

A mitad de la jornada, Blanche le concedió una parada para que pudiera bajar y desentumecer las piernas. Comieron de las compras que habían hecho en Virelet, y luego Bertoul recibió nuevamente la orden de subirse a la silla. Pero una vez que estuvo arriba, el muchacho vio con asombro cómo ella ponía un pie en el estribo y, con un fuerte impulso, se alzaba sobre el caballo y se instalaba delante de él.

—Pero... ¿qué estás haciendo?

—Ya lo ves. Monto a caballo.

—Entonces yo voy a bajar, es lo mejor...

—De ninguna manera —le interrumpió ella tomando las riendas—. Agárrame por la cintura.

—Pero... pero... pero... —tartamudeó él.

—Oh, vamos, por favor, no seas tan remilgado.

—Pero es que los dos seremos mucho peso para Nube.

—En absoluto. Nosotros dos juntos somos mucho más ligeros que uno de esos gordos caballeros, por no hablar de los que llevan armadura. Vamos, agárrate fuerte a mí, que voy a enseñarte algo...

Blanche dio un golpe de talón y Nube emprendió un pequeño galope.

—¡Quiero bajarme! —chilló Bertoul.

Pero Blanche había comenzado a disfrutar del placer de galopar.

—Así iremos mucho más deprisa —le dijo, y sus palabras se perdieron en el viento.

Bertoul se aferró a ella, mal que bien, dividido entre el miedo a caerse y el apuro de estrechar la cintura de una chica, y no precisamente de una chica cualquiera... Para empezar, se trataba de una señorita noble. ¿Y dónde se había visto que un plebeyo pudiera estrechar impunemente la cintura de una damisela? Pero lo peor de todo era que... hum... él comenzaba a encontrarla... hum... sí, bastante atractiva. Muy, muy atractiva.

«Cuidado, Bertoul Buenrabel», se decía, «no te entusiasmes por la primera jovencita que se te cruza en el camino, y que además resulta triplemente peligrosa por ser noble, por haber sido prometida y por estar perseguida. Tres buenas razones para huir como de la peste de la menor... predisposición. Del menor gesto cariñoso.»

—¡Quiero bajarme! —repitió, y esta vez no tanto por el miedo a caerse como por el miedo a abrazarla demasiado.

—Cállate, Bertoul, que vamos más rápido. Ellos buscarán a dos personas a pie, y cuando se den cuenta estaremos muy lejos.

Durante el resto del día, Blanche llevó la montura unas veces al paso y otras al galope. Al caer la tarde, acamparon en lo más profundo de un bosque y encendieron un pequeño fuego para ahuyentar a los animales salvajes. Cenaron los últimos restos de lo que habían comprado la víspera. ¡Qué lejos quedaba ahora de sus mentes Virelet y su feria! Muchas cosas habían cambiado.

—Casi no puedo creer que fuera sólo ayer a mediodía cuando mis hermanos me llevaron prisionera a la torre de Anzat —dijo Blanche pensativa, con la vista en la fogata—. Por fortuna, pienso que ahora estamos lo suficientemente lejos de ellos.

—¿Ya no tienes miedo?

Ella no respondió, pero, como ensimismada, dijo:

—Si yo fuera ellos… quiero decir, si me pusiera en su lugar, podría saber más o menos lo que van a hacer. Primero, ir a avisar al novio y preparar la boda, eso supone un par de días, el tiempo que se tarda en ir al castillo de La Bordonne y arreglarlo todo. Luego, regresar a la feria de Virelet para celebrar la buena suerte, emborracharse y jugar algunas partidas de dados con el fin de ganar unos pocos escudos. Ya tenemos tres días de margen. Seguros de sí mismos como están y carentes, como también están, del menor seso, ni siquiera habrán pensado en enviar una guarnición a la torre para custodiarnos mejor. Tampoco se les puede pasar por la cabeza que hayamos conseguido fugarnos. No, creo que por ese lado no corremos ningún riesgo. Al menos, eso espero. ¿Y por tu parte, Bertoul?

—No lo sé —dijo Bertoul meditando—. En cualquier caso, Raoulet de Mauchalgrin y esa especie de bruto malencarado que lo acompaña habrán estado atrapados hasta esta mañana en el laberinto del pantano. ¿Y después? Pues no puedo saberlo. El joven Mauchalgrin no abandonará la partida tan pronto. El manuscrito parece interesarle poderosamente, supongo que cuenta con utilizar sus fórmulas y recetas. Lo de torturarme sólo sería para él un… agradable complemento.

El silencio se instaló entre ellos. Los chasquidos del fuego no tapaban los ruidos del bosque y los jóvenes podían oír el agitado movimiento de animales que, por fortuna, no osaban acercarse.

—No lo entiendo —Blanche volvió a uno de sus temas favoritos—. Si no quieres utilizar ese libro de magia en tu provecho, a pesar de que sabes leer, ¿por qué lo llevas contigo? Podrías abandonarlo. En este bosque, por ejemplo, enterrado bajo un árbol, nadie lo encontraría nunca…

Bertoul se sintió confuso ante la lógica de estas palabras. Se dio cuenta de que nunca le había hablado a Blanche del encargo personal que había recibido de la señora Hermelinda, ni de la razón por la que se dirigía a París.

—Yo no puedo leer este libro —comenzó a decir aún con cierta indecisión—, ni siquiera puedo abrirlo. Y no porque no tenga deseos de hacerlo.

—Entonces, ¿por qué?

—Lo prometí —dijo suspirando—. Y además creo que a los búhos no les gustaría que lo hiciera.

—Pero tú preferirías saber lo que contiene…

—¡Sólo por simple curiosidad! —protestó Bertoul.

—Ya veo… —murmuró Blanche—. ¡Ah, cómo me arrepiento de no haber aprendido a leer!

—Probablemente tú tampoco podrías abrirlo, así que no te lamentes por eso.

—Aún no me has dicho lo que vas a hacer en París.

—Voy a cumplir la última voluntad de mi señora Hermelinda, que me pidió dejar el manuscrito… en un… lugar secreto… de París.

Blanche no preguntó nada más. Se mantuvo frente al fuego, con los brazos alrededor de las piernas recogidas, envuelta en su capa, desprendiendo su fresco perfume a mixtura de hierbas.

Con el rabillo del ojo, Bertoul contempló su suave perfil. Le hubiera gustado pedirle que se soltara el pelo, pero no se atrevió a hacerlo. Buscó su rabel y tocó un aire delicado y lento mientras ella seguía con la mirada fija en el fuego. Fue improvisando la letra a medida que tocaba. Trataba de una joven muy lejana, y cuando había algunas palabras que no se atrevía a pronunciar, las tarareaba.

«Vamos, no puede ser que me esté enamorando de esta noble damisela», trataba de razonar. «Porque de eso no saldría nada bueno. Somos, sencillamente, compañeros de viaje, y no de un viaje agradable, pues somos perseguidos y estamos agotados. Sería una imprudencia pensar en asuntos del corazón en lugar de preocuparme de nuestra seguridad, de París, de mi misión…»

En consecuencia, desvió la mirada, no sin esfuerzo, del perfil de Blanche. Por suerte, estaban tan fatigados que se quedaron dormidos enseguida.

⁓SORTILEGIO•
para hacer reír a las mujeres

Toma tres pequeñas habas negras,
mételas entre los dedos de la mano derecha
y coloca dicha mano sobre tu corazón.
Atrae la mirada de la mujer a la que deseas hacer reír
y cuando ella fije sus ojos en ti, di:
'Ego ago y supperago y consummatum est'.

27

GAUBERT, GAUTIER, Gauderic y Gaudefroi de Flamincourt permanecieron dos días en la feria de Virelet con la esperanza de hacer fructificar los escasos escudos que les quedaban, pero en vano jugaron cuantas partidas se les pusieron a tiro, pues si bien no llegaron a perder todo su capital, tampoco ganaron gran cosa.

El más joven de los hermanos quiso conocer su futuro y arrojó algunas monedas al feriante de la Rueda del Destino. Su flecha se clavó en un triángulo en el que un saltimbanqui con un traje a cuadros rojos y blancos hacía, cabeza abajo, juegos malabares con unas manzanas, al tiempo que unos pequeños diablos se empeñaban en desestabilizarlo.

—¡Ah, mi joven señor, esto significa que vuestra vida está llena de imprevistos! —gritó alegremente el titiritero—. ¡Un día cabeza arriba, al día siguiente cabeza abajo! ¡Un día haciendo juegos malabares, el otro dejando caer las manzanas! En este signo todo es incierto, lo que parecía sólido se deshilacha, lo que se tenía por seguro se escapa entre las manos. Pero, al menos, uno no pierde el tiempo en lamentaciones y sigue siempre divirtiéndose...

Los tres hermanos felicitaron al joven Gaudefroi y bromearon muy contentos: del oráculo tan sólo se habían quedado con la idea de la constante diversión. Decidieron entonces dirigirse en primer lugar a Flamincourt para dar instrucciones al intendente del castillo: aún podían salvarse muchas cosas del festín, pues los invitados no tardarían en volver. La fiesta, simplemente, se había retrasado unos pocos días.

Después visitaron a Josce de la Bordonne y le dieron la buena noticia: Blanche había sido encontrada y puesta a buen recaudo para evitar cualquier nuevo intento de evasión.

Seguidamente, cuatro o cinco días después de que encerraran a Blanche y a su cómplice, los cinco hombres, hermanos y novio, tomaron el camino de la torre de Anzat con el propósito de sacar a la joven de la mazmorra y prepararla para la boda, sin olvidarse, desde luego, de los preparativos necesarios para la ejecución del patán.

El mundo, ¡oh, desastre!, se les vino encima cuando descubrieron que Blanche había desaparecido y, con ella, el patán. Josce de la Bordonne se tomó muy mal lo de haber sido molestado para nada y, más aún, el hecho de tener que volver a su feudo nuevamente sin novia. Juró a los hermanos Flamincourt que las cosas no iban a quedar así y partió furioso hacia sus tierras para organizar una de aquellas pequeñas guerras que tan a menudo se libraban entre vecinos.

Por su parte, Raoulet de Mauchalgrin, empapado y apestando a cieno tras su caída en el viscoso pantano, no quiso aguardar con calma a que la bruma se despejase, sino que se lanzó rabioso en pos del maldito músico, fiándose de los ruidos que percibía, aquí y allá, en medio de la oscuridad. El resultado fue que a la mañana siguiente, al levantarse el manto de niebla, él y su fiel Griffon descubrieron que apenas se hallaban a veinte pasos de la torre de Anzat. ¡Habían estado toda la noche caminando en círculo!

—¿A qué esperas? ¡Encuentra el medio de salir de aquí! —le ordenó Raoulet a su sicario.

Griffon le señaló con su grueso y velludo dedo una dirección que parecía segura, con un camino de tierra algo elevado con relación al agua estancada: el mismo por el que habían llegado hasta allí. Los caballos, pacientes o resignados, seguían atados a un árbol. Y así, chorreando agua fangosa, medio congelados y furiosos, los dos jinetes tomaron la ruta de regreso a Virelet, donde, no sin hacer un escándalo, Raoulet tuvo que pagar por ambos el derecho a entrar en la ciudad antes de poder reunirse con el séquito de Audouin de Fougeray.

Griffon le Réchin, sin despegar los labios, se fue con los demás criados. En cuanto a Raoulet, apenas transcurrió un segundo desde su llegada cuando empezó a recibir toda clase de reprimendas; la primera del intendente de la comitiva, luego del principal escudero del barón, a la que siguió otra de la propia señora Mahaut, para acabar con la más áspera y dura de todas, la del propio Audouin de Fougeray. Motivos: haber desertado de su puesto, huir de las obligaciones que tenía asignadas y regresar en un estado de suciedad y pestilencia indigno hasta del último de los porqueros.

—Desaparece de mi vista —le dijo su maestro—. No te aconsejo que te acerques a los nobles señores, caballeros o escuderos de nuestro séquito, y menos aún a las damas. Por supuesto, olvídate de participar en el torneo. Y después de que acabe la feria, cuando estemos de regreso en Fougeray, pensaré lo que hay que hacer contigo, joven Mauchalgrin. Porque has de saber que tu padre te ha confiado a mí para que haga de ti un caballero, y yo estoy dispuesto a satisfacerlo, aunque ello sea a costa de reprimendas, sanciones, trabajo duro, servicios suplementarios, correctivos e incluso castigos. Hay muchas formas de que asimiles la caballería, y una de ellas es a correazos; créeme, no serías el primer caso.

«Tan pronto como tenga el libro», se decía Raoulet durante el furibundo sermón, «no me costará nada burlarme de todo esto y realizar sus estúpidos trabajos en un abrir y cerrar de ojos. Si pensáis que me dais miedo, señor Audouin, os equivocáis, y bien pudiera ser que muy pronto sufrieseis la misma suerte que aplicaré a mi digno padre, que todavía cree que no soy más que un crío al que puede amaestrar. Soy partidario de la venganza, y tengo mucho tiempo para ejecutarla.»

—¡Baja la mirada, insolente! —rugió Audouin de Fougeray azotándolo con la brida del caballo.

Raoulet se llevó la mano al trazo rojo que acababa de dibujarse en su mejilla.

—No se mira directamente al señor que os está reprendiendo —añadió el señor de Fougeray—. Y ahora, ve a lavarte. Y acaba tu servicio en las cuadras, como un criado. Te ocuparás de los caballos del torneo y dormirás con ellos sobre la paja. Y no comerás otra cosa que pan. ¿Ha quedado claro?

—Ciertamente, mi señor —dijo Raoulet después de lanzar a su maestro una breve y furiosa mirada, que enseguida se apresuró a disimular.

Consideró prudente inclinarse, único medio de evitar una nueva regañina, aunque para ello tuvo que hacer un esfuerzo sobrehumano. Pero no por eso dejó de pensar. Tenía que encontrar un medio de librarse de todas aquellas faenas en las caballerizas.

—Naturalmente, enviaré a alguien para que te vigile en todo momento —concluyó Audouin de Fougeray como si le hubiese leído el pensamiento.

Raoulet volvió a inclinarse, pero esta vez para ocultar la horrible mueca que se había pintado en su cara.

Cuando el señor de Fougeray dio media vuelta para ir a ocuparse de actividades más agradables, Raoulet se dejó arrastrar por una cólera seca y amarga que le hizo mascullar entre dientes toda clase de anatemas y maldiciones dirigidos tanto hacia Bertoul, el músico ladrón, como hacia el rancio vejestorio Audouin de Fougeray y el seco y rígido Raoul de Mauchalgrin, su detestado padre, sin olvidarse, por último, del incompetente Griffon le Réchin.

Comenzó luego a planear cómo sería su venganza. Les iba a enseñar a todos. Transformaría a Audouin de Fougeray en un cerdo, a la señora Mahaut en una rata y a sus hijas en gallinas. Desencadenaría tempestades de granizo sobre las tierras de su padre. Se volvería invisible y espiaría a cuantos le molestaban, es decir, a todo el mundo. Propagaría unas cuantas epidemias y desgracias aquí y allá. Después, se dedicaría a hacer fortuna.

Pero para todo eso le era indispensable el libro de magia. ¿Dónde lo había escondido Bertoul? El libro, el libro, el libro. «Lo tendré. Y haré que le saquen los ojos. Y después, por qué no, mandaré que lo ahorquen.»

Al cabo de dos horas de estar cepillando a los caballos, estos y otros pensamientos giraban ya en completo desorden dentro de su cabeza.

—Tu maldad será tu perdición —declaró Audouin de Fougeray que lo estaba observando desde hacía un rato—. Supura de tu interior a cada momento, en tus gestos, en tus gruñidos. Incluso tu sudor huele a ruindad. ¿Qué vamos a hacer contigo, mi pobre muchacho?

Raoulet no respondió, pero no sintió otra cosa que desprecio hacia las palabras compasivas del viejo caballero, el cual siguió diciendo:

—Yo no puedo tenerte en el castillo hasta que no seas un poco más educado y estés animado por el deseo sincero de convertirte en un caballero.

De golpe, Raoulet se quedó inmóvil. ¿Iba el viejo a devolverlo a su casa? Buena noticia. Bastaría con no regresar de inmediato junto a su padre y ponerse a buscar concienzudamente a Bertoul y el manuscrito. Su cara se iluminó por un instante.

—He pensado, por tanto —continuó el señor de Fougeray—, confiarte a uno de mis antiguos y mejores escuderos. Vive actualmente retirado en una pequeña fortaleza en los confines de mi territorio. Irás a hacerle compañía. Él te inculcará conocimientos indispensables para que podamos después encarar tu formación como caballero.

Raoulet de Mauchalgrin no acertó a comprender de inmediato lo que aquellas palabras significaban.

Tres días más tarde, acabada la feria y sus torneos, la comitiva de Audouin de Fougeray se puso en camino de regreso a su castillo. Raoulet, que estaba de un humor insoportable, iba en todo momento bien rodeado y vigilado. No había forma de escapar, ni tan siquiera de acercarse a Griffon le Réchin.

La misma tarde de la llegada fue convocado por Audouin. El señor estaba sentado en su cátedra, no lejos de la monumental chimenea. Cerca de él estaba un hombre vestido de cuero, de rostro austero, con ojos fríos como el hielo y cabellos grises cortados en redondo. Permanecía de pie, con las piernas separadas y los brazos cruzados, y escuchaba atentamente lo que Audouin le decía.

Cuando Raoulet entró en la sala, su maestro le dijo:

—Acércate, joven Mauchalgrin. He aquí la persona con la que vas a pasar algún tiempo. Ha sido el mejor de mis escuderos, el mejor de mis hombres de armas. Theuderig, te presento a tu nuevo alumno. Comprobarás que es algo terco y descuidado, pero yo sé que tú sabrás transformarlo.

—Sí —respondió el llamado Theuderig.

«Otro igual de lacónico que Griffon», observó Raoulet. «¡Y ni siquiera es un noble, sino un simple guardián fronterizo!»

—Ambos partiréis mañana —decidió el señor de Fougeray.

—Muy bien —asintió Theuderig.

Audouin de Fougeray señaló a Raoulet el camino de la puerta, pero retuvo a Theuderig para decirle unas últimas palabras:

—Trata de devolvérmelo en condiciones lo antes que puedas. Dentro de unos meses debo ir a París y creo que estaría bien que me acompañase.

—Así lo haré —volvió a asentir antes de salir del salón.

Ambos partieron al alba. Raoulet no obtuvo autorización para ser acompañado por Griffon le Réchin, ni tan siquiera para hablar con él antes de la partida. Sin otra vestimenta que la que llevaba puesta, además de una manta de viaje, fue apremiado a ensillar un caballo y a ponerse inmediatamente en ruta.

Raoulet cabalgó tras su nuevo guardián por caminos abruptos y desfondados, que les condujeron, después de una jornada completa, hasta una región pedregosa, aislada, azotada por los vientos, en la que un reducto fortificado era la única construcción en muchas leguas a la redonda.

—Ahí tienes el lugar donde vamos a ejercitarnos en el oficio de caballero —le anunció Theuderig.

Raoulet puso su peor cara. Jamás había visto una comarca tan desolada, tan inhóspita. El libro de magia y Bertoul se alejaban de él a gran velocidad. Lanzó un juramento ahogado y, al momento, su carcelero le hizo caer brutalmente del caballo.

—Un caballero no jura nunca. A ningún precio. Ahora ve a ocuparte de los caballos.

—¡Pero hemos hecho un viaje de muchas horas! ¡Estoy reventado!

Un nuevo trompazo fue la consecuencia de estas palabras.

—¡Obedece!

⌐SORTILEGIO⊙
para provocar alucinaciones

Pon en el aceite
de una de tus lámparas,
un poco de sangre de abubilla hembra
y todas las personas que estén presentes
sufrirán alucinaciones.

28

ANOCHECIÓ POR SEXTA VEZ desde que Bertoul y Blanche habían salido del pantano, huyendo de sus perseguidores.

En dos de aquellas noches habían conseguido dormir en una iglesia, sobre haces de paja, rodeados de peregrinos, viajeros y vagabundos. En tales ocasiones tuvieron que buscar alojamiento para Nube (que naturalmente no podía entrar en los lugares sagrados), a cambio de algunas monedas que previamente habían ganado: Bertoul con su música y sus canciones, y Blanche con sus hierbas, curando y aliviando pequeñas dolencias en los pueblos por los que pasaban. Otras veces se detuvieron a ayudar en diversos trabajos agrícolas, y hasta el caballo tuvo que trabajar transportando pesados sacos o tirando de algún carro atascado. A cambio de todo ello solían recibir distintos alimentos, por lo que nunca llegaron a pasar auténtica hambre.

Pero aquella noche tenían un menú muy especial. Con increíble fortuna, Bertoul había conseguido matar de una pedrada a un imprudente conejo, gracias a lo cual, instalados de nuevo en el corazón de un bosque, junto a la habitual hoguera, se disponían a devorar con ganas el suculento asado, lo que era una muy agradable variación con respecto al pan negro, las berzas correosas y los nabos crudos que solían formar parte de su dieta.

Blanche, además, le había proporcionado un último toque, sazonándolo con un poco de tomillo que había sacado de sus pequeñas bolsas.

—¡Está delicioso! —la felicitó Bertoul chupándose los dedos, lo que hizo que ella se sonrojara de satisfacción.

—Sin embargo —continuó él—, cuando lleguemos a París, te irás a la corte y te olvidarás muy pronto de estas comidas que hemos improvisado.

—¡No las olvidaré jamás! —replicó ella con ímpetu—. Tengo la sensación de estar viviendo los momentos más… más… azarosos de mi vida.

A Bertoul le decepcionó vagamente que ella no dijera «los más hermosos».

—Y no me arrepiento de nada —completó la joven.

—¿A pesar de la fatiga?

—Sí, y a pesar de la aprensión, del miedo, de la suciedad y de la incertidumbre de no saber lo que ocurrirá mañana.

—Mañana, no lo sé, pero si los peregrinos con los que nos hemos cruzado hace poco no están equivocados, tan sólo estamos a cuatro o cinco días de París. Y ya tengo ganas de llegar… ¡Uf, ya lo creo que tengo ganas!…

«Y de librarme de este embarazoso manuscrito, y, sobre todo, de obtener el perdón para mi señora Hermelinda, y de quedar libre de toda misión y de toda atadura, y de poder empezar a ejercer de músico y menestral…»

Sus perseguidores debían haber perdido su pista, porque ni de unos ni de otros habían vuelto a tener noticias. Cada día que pasaba les hacía sentirse más seguros.

Bertoul abrió su zurrón para sacar su pequeña flauta y tocó una cancioncilla melodiosa y melancólica que quería expresar la opresión que sentía en su corazón ante el próximo final del camino junto a Blanche y el hecho muy probable de no volverla a ver nunca más. Por supuesto, jamás le diría nada de ese sentimiento, y jamás osaría tocarla (salvo cuando ambos montaban sobre Nube), pero quería prepararse para lo que pronto no serían más que hermosos recuerdos.

—Eso que tocas es demasiado triste —le reprochó Blanche.

El músico la miró de reojo, pero no dejó de tocar. Ella se enroscó en su manta y al poco se durmió al son de la doliente música.

Cuando, después de tocar, Bertoul fue a guardar su flauta, entrevió, en el fondo del zurrón, el rubí del manuscrito, luminoso y brillante como si estuviera palpitando. ¿Trataba el libro de prevenirle de algo?

Dirigió una mirada en círculo hacia la negra noche y no vio nada, ni animales salvajes, ni seres humanos sospechosos, ni tampoco búhos. Tocó el libro dentro del saco, deteniéndose en el rubí. Lo sintió casi caliente bajo su palma. Sacó el manuscrito y lo colocó sobre sus rodillas. Admiró largo rato su maravillosa cubierta, lamentando que las cuatro envolturas de tejido hubieran quedado en manos del monje, quien seguramente las habría quemado considerándolas objetos del diablo. Observó la peculiar luz del rubí, que parecía casi la de una llama encerrada, comprimida en una burbuja de vidrio.

Luego, bruscamente, abrió el libro por la mitad. Pero no tuvo tiempo de ver otra cosa que la imagen de un dragón erguido y un titular: «Secreto para...». Sólo eso, antes de que el libro se cerrara solo, con suavidad.

Los búhos estaban allí, unos ocho o diez. No se abatieron sobre él, ni sobre Blanche, simplemente los rodearon, posados en las ramas bajas de los árboles de alrededor, los cuerpos pálidos jaspeados de marrón, los penachos enhiestos, mirándolos fijamente con sus ojos enormes e inmutables.

—¿Qué debo hacer? —preguntó en voz alta—. ¿Qué queréis de mí? ¿Sois mis amigos o mis guardianes?

Blanche se despertó a medias y murmuró con voz soñolienta:

—¿Hablas solo o es que estoy soñando?

—Duérmete. No pasa nada —susurró él.

Los búhos ulularon. Luego, uno tras otro, con un vuelo tan acolchado y misterioso como el que le había llevado hasta allí, abandonaron las ramas donde estaban posados.

«No quieren que los olvide, debe tratarse de eso», reflexionó. «Si querían decirme alguna otra cosa, no he sabido comprenderlo.»

Pero mientras guardaba el libro en el zurrón, los búhos volvieron a presentarse de nuevo, esta vez aún más cerca, y dos de ellos dieron vueltas por encima de su cabeza, casi rozando las llamas de la hoguera.

—¡Está bien! ¿Qué queréis de mí? —gritó.

Aquella especie de tiovivo no cesó y Bertoul se levantó perplejo.

Enseguida, los pájaros se desplazaron para ir a dar vueltas en torno a Nube, que, muy tranquilo, dormitaba atado a un árbol.

—Tenemos que partir —concluyó el muchacho—. Me están diciendo que no debemos quedarnos aquí.

Rápidamente recogió todas sus cosas, pisoteó el fuego y sacudió a Blanche.

—Despiértate. Nos vamos.

—¿Ya es de día?

—No, pero tenemos que irnos de todas formas.

—¿En plena noche? ¿Por qué?

—Una intuición. No nos entretengamos más.

Aupó a la joven hasta la silla del caballo y dejó que volviera a dormirse. Después, con la brida en la mano, pensó en la manera de orientarse. Al salir del abrigo del bosque, examinó el cielo. Estaba tan despejado que no tardó en encontrar la estrella polar. Decidió caminar siguiendo la ruta que la estrella le marcaba, igual de adormilado que la noche en que salieron del pantano. Esta vez, sin embargo, no había rastro de sus perseguidores, y no dejaba de preguntarse, en medio de su duermevela, por qué razón le habían hecho los búhos marcharse con tanta precipitación.

La caminata nocturna y silenciosa, salvo por el ahogado *clipiti-clop, clipiti clop*, les hizo llegar, al amanecer, a una vasta llanura dominada a lo lejos, muy a lo lejos, por una elevación que destacaba sobre el paisaje. Pudo ver murallas almenadas, torres con campanas, y lo que parecía ser una gran agitación tempranera. Pero estaba demasiado lejos, incluso para su vista excepcional, como para distinguir los detalles de la ciudadela y sus habitantes.

Blanche se despertó.

—Mira allá, es una fortaleza.

—No veo nada —dijo ella achicando los ojos—. Todo está gris, aún no es completamente de día y hay demasiada niebla.

Una vez más, Bertoul no había reparado en que ella carecía de su poder.

—Veo una importante fortaleza —dijo él—. Está bastante lejos. Hay mucha gente. Quién sabe, quizá sea una ciudad.

—¿Qué ciudad?

—¿Cómo voy a saberlo? En el primer pueblo, nos detendremos en su iglesia y preguntaremos al sacerdote.

El primer pueblo se llamaba Saint-Victor-en-Hurepoix, y en el atrio de su iglesia había muchos pobres aguardando la salida de misa de los buenos cristianos para pedirles una limosna o un pedazo de pan.

Bertoul abrió su zurrón y sacó unos restos, algo duros ya, de un pan con nueces y torreznos que les habían dado. Lo repartió entre tres niños de cuatro o cinco años, que tenían los ojos ojerosos y los estómagos vacíos.

—Gracias, mi buen señor —dijo una mujer, probablemente la madre, que parecía estar muy débil y a la que le faltaban los dientes.

Escarbando un poco más en el fondo de su saco, Bertoul logró encontrar un cuarto de manzana arrugada sobre el que la mujer se abalanzó con gratitud.

—Hay gente muy pobre —murmuró Blanche con lástima—. ¿Dirá quizá ese libro de magia cómo ayudarles?

Bertoul le lanzó una mirada torva. Hablaba demasiado fuerte y con demasiada libertad. Además, si creía que las recetas y fórmulas del manuscrito podían arreglar todos los problemas y las desgracias…

Acabada la misa, Bertoul y Blanche fueron hasta el fondo de la iglesia en busca del cura. Tras los saludos y bendiciones acostumbradas, le preguntaron cómo encontrar el camino a París.

—¡Oh, está a menos de una jornada: si camináis aprisa podéis llegar antes de vísperas! ¿Tenéis un caballo? En tal caso, mucho antes.

Dicho esto, el clérigo salió de la iglesia y extendió su dedo en dirección a la ciudad fortificada que Bertoul había vislumbrado al amanecer:

—Siguiendo este camino llegaréis a París.

Así pues, la hermosa e importante fortaleza que Bertoul había visto a lo lejos no era otra ciudad que la mismísima París. El sacerdote continuó:

—Por ahí cruzaréis una rica llanura con caminos en los que hallaréis numerosas abadías, posadas para peregrinos y casas de Dios. Todas esas rutas llevan a París, donde reside nuestro buen rey. Es una ciudad rodeada de murallas, repleta de iglesias y monasterios, donde pululan muchedumbres de gentes ricas y pobres. Yo he estado allí seis veces —precisó con orgullo—. Y he visto con mis propios ojos la catedral construida por el amor de Dios y de Nuestra Señora.

—¿Y conocéis la calle de la Grande Truanderie*? —preguntó Bertoul.

El sacerdote lo miró con aire severo y le dijo con tono sermoneador:

—Jovencito, jamás me dejaría yo llevar por calles que portaran un nombre tan indecoroso. Ciertamente que hay en París muchos truhanes y tironeros, falsos peregrinos con conchas aún más falsas** y mendigos harto dudosos. Pero gracias al Cielo, jamás me he tenido que cruzar en su camino. Y si vais a París, haríais bien en evitar lugares con semejante nombre.

Bertoul se angustió. De modo que se trataba de una calle con muy mala reputación. ¿Qué clase de méritos podía entonces tener un mago que vivía en un lugar con esa fama? ¿Correría peligro yendo allí?

Así que haría mal en buscarla... —comentó como para sí mismo.

—¡Y tanto que harías mal! —dijo el cura—. París cuenta con centenares de calles, probablemente con miles, y la mitad de ellas no son recomendables. Desconfiad, mis jóvenes amigos. ¿Qué es lo que vais a hacer en esa ciudad?

—Eh... pues, visitar... a nuestro anciano tío —respondió él.

---

* En francés *truanderie* sería 'truhanería', 'pillería', 'golfería', 'mala jugada', 'mala pasada'... La calle existe todavía, está en el distrito 1º de la capital francesa.
** Se refiere a los mendigos que lucían sobre su ropa las conchas de Santiago para hacer creer que habían estado de peregrinación en Compostela, y atraer de esta forma la caridad de los viandantes.

—Nuestra madre nos envía junto a él para que aprendamos el oficio de comerciantes, pues no tiene herederos —adornó Blanche la historia haciendo gala de una imaginación fértil e inesperada—. Nuestros seis hermanos y hermanas se han quedado en el pueblo, en Rochefontaine, porque sólo nosotros dos estábamos dispuestos a aprender el ofi...

—¡No sigas! —dijo Bertoul dándole con el codo—. Nuestros asuntos familiares no le interesan al señor cura, *Almendrita.*

Delante de la gente, había vuelto a utilizar ese nombre que sonaba mucho más a una joven campesina.

—Tienes razón. Perdonadme los dos.

—Bueno, bueno, jovencitos, si camináis deprisa estaréis allí antes de la noche. Y tened cuidado, porque al ponerse el sol las puertas se cierran y entonces tendríais que dormir en alguna casa de caridad de las afueras.

Blanche y Bertoul se despidieron del cura, agradeciendo largamente sus consejos, y aquél les prometió que rezaría para que su viaje estuviera exento de tribulaciones, de malos encuentros y de tentaciones del demonio.

—¡Sólo una jornada! ¡Y creía que aún nos quedaban cuatro o cinco! —se asombró Blanche.

—Al parecer, unos y otros se han equivocado —comentó filosóficamente Bertoul—. Algunos peregrinos, al comienzo de mi viaje, me aseguraron que tardaría dos o tres meses en llegar a París, y, según creo, no se han cumplido aún ni tres semanas desde que mi señora Hermelinda me confió esta misión.

—¿Crees tú —preguntó ella bajando la voz— que el simple hecho de poseer ese libro de magia...?

—De custodiarlo, no de poseerlo —le corrigió rápidamente Bertoul.

—¿...Que el simple hecho de custodiar ese libro de magia haya influido en que el tiempo pasara más deprisa o que las distancias fueran menos largas?

—No creo que eso sea posible —dijo Bertoul meneando la cabeza—. Nos hemos esforzado y hemos sido rápidos caminando. También nos ha ayudado Nube, que va dos o tres veces más deprisa que nosotros. No, yo pienso que todo ha sido normal, y que las gentes que nos informaron no sabían calcular bien la duración de un viaje, eso es todo. ¿Dónde habías ido tú antes de esta peregrinación?

—Pues... yo nunca había salido del castillo de Flamincourt, salvo para visitar los dominios de mi madre, en Vauluisant, esas tierras que me corresponden... Menos de una jornada a caballo... Ni siquiera fui nunca a ver la señora Hermelinda, en Tournissan. Era ella la que venía a verme de vez en cuando.

—Eso explica que nunca te hubiera visto, aunque tú la conocieras. La señora Hermelinda nunca dudaba en montar su jaca y salir de viaje, pero jamás me llevó con ella... —señaló Bertoul—. Yo tenía que aprender, practicar con mis instrumentos, estudiar continuamente, memorizar las largas canciones de gesta, mejorar mi repertorio... No, yo tampoco salí nunca de Tournissan, salvo a los pueblos de alrededor. Nunca había visto una ciudad, ni una feria, ni había pasado jamás una noche en un bosque, ni caminado más de media legua seguida.

—¡Menudo par de aventureros estábamos hechos! —rió Blanche.

Llegaron a las puertas de París bajo un hermoso sol de mayo, en pleno mediodía. Como a todos los saltimbanquis, los guardias los dejaron pasar a cambio de una demostración de sus habilidades, lamentando entre risas que no llevaran con ellos un mono, pues las gracias y cabriolas de esos animales eran su diversión favorita.

—Estamos salvados —dijo Blanche después de franquear la muralla que rodeaba París—. ¡Mis hermanos nunca vendrán aquí a buscarme!

—Y no me cabe duda de que tampoco Raoulet —añadió Bertoul.

—¿No es maravilloso?

Blanche tenía una sonrisa radiante. Bertoul se la devolvió de todo corazón.

Sus penalidades, al fin, habían terminado.

ᴄSORTILEGIO
para hacer callar a los murmuradores

Hay que realizarlo en domingo.
Enciende una vela negra
y escribe en un pergamino nuevo
el nombre de la persona que murmura sobre ti.
Quema un puñado de incienso perfumado con lavanda.
Haz que pase el pergamino por las volutas del incienso
diciendo siete veces el nombre de la persona, y luego di:
'¡Es hora de que te calles!
¡Cesa en tus murmuraciones!
¡Acaba con tus mentiras!
¡Que tus palabras llenas de veneno
no puedan expresarse más!
¡Qué así sea!'.
Seguidamente, quema el pergamino
y entierra sus cenizas.

29

A PIE, Y LLEVANDO A NUBE por la brida, Blanche y Bertoul entraron en la gran ciudad. Muy juntos, hombro con hombro, miraban a su alrededor con ojos asombrados. Había tanta gente en las estrechas calles de tierra, tantos animales también, desde aves hasta cerdos, tantas casas tan altas que llegaban a ocultar la luz, tantos gritos y tañido de campanas, que se sintieron completamente aturdidos aunque procurasen disimular su pasmo y su desorientación. Aún así se vieron repetidamente empujados y recriminados por los apresurados parisinos que les instaban a moverse y a no entorpecer el paso.

—¡Ay, Bertoul! Tengo la impresión de que estamos mucho más perdidos que en pleno campo o en el bosque. ¿Cómo encontraré el lugar donde vive mi madrina?

—¿No me dijiste que forma parte de la corte del rey?

—De la reina más bien, sí.

—Supongo que su majestad vivirá en un palacio. Bastará con preguntar a alguien…

Y casi sin terminar la frase, Bertoul abordó a un transeúnte, que le respondió que el rey residía habitualmente en el palacio de la isla de la Cité, junto con su corte, su familia, sus ministros, sus guardias, sus cancilleres, sus administradores, sus tesoreros y sus capellanes, además, naturalmente, de los muy numerosos criados, escuderos y palafreneros. Y que luego estaban también las señoras: la reina, las damas nobles, las azafatas, las sirvientas, las cocineras, las camareras...

—¡No sigáis, por favor! —exclamó Bertoul—. Decidnos sencillamente dónde podemos encontrar ese palacio.

El locuaz transeúnte les indicó el camino a seguir. Vieron entonces un gran río cuya superficie estaba abarrotada de toda clase de embarcaciones, grandes y pequeñas, que transportaban ingentes cantidades de alimentos. Vieron un puente y muchos barqueros para ir de una orilla a la otra. Vieron calles adoquinadas mucho más limpias que las callejas polvorientas y embarradas de los otros barrios. Y vieron una iglesia, llamada la Catedral de Nuestra Señora, de dimensiones tan extraordinarias que permanecieron largo rato con la boca abierta. Por último, vieron el palacio del rey.

Conscientes de su aspecto, no se atrevieron, sin embargo, a mostrarse ante los guardias. Bastó con que se miraran el uno al otro. Sus vestidos estaban tremendamente sucios y ellos mismos no les iban a la zaga.

—No puedo presentarme así ante mi madrina —dijo Blanche contrariada—. Primero debo asearme. Tenemos que encontrar un refugio para caminantes, un albergue, una casa de Dios o cualquier otro lugar donde podamos lavarnos.

Mientras atardecía, allí plantados, a cierta distancia de la entrada de palacio, pensaron en el mejor camino a seguir.

—Busquemos la calle de la Grande Truanderie —propuso Bertoul—. Es el lugar al que debo dirigirme... Allí, quizá «alguien» (no se atrevió a mencionar al mago) pueda guiarnos hacia uno de esos lugares.

En aquel momento, un chiquillo de seis o siete años corrió ante ellos, gritando a pleno pulmón:

—¡Baño caliente por cuatro cuartos! ¡Baño caliente por cuatro cuartos! ¡En la casa de baños La Belle Meunière de la calle de la Quenouille*! ¿Quién desea un buen baño caliente? ¡Sólo cuatro cuartos!

—¡Ahí tenemos lo que estábamos buscando! —dijo con entusiasmo Blanche.

Bertoul paró al chico agarrándolo por la manga. El chiquillo olía a limpio y a lavanda, y tenía los cabellos brillantes. ¿Qué mejor reclamo para el establecimiento de su amo?

—Llévanos —le dijo Bertoul.

—¿Cuánto me das? —reclamó el pequeño con insolencia.

—Ya veremos cuando estemos allí —respondió Bertoul—. Andando, que no voy a soltarte.

Y así, con el pequeño Andriet, que tal dijo llamarse, firmemente sujeto, Blanche y Bertoul llegaron en pocos minutos a los baños públicos, en el centro de una estrecha calle, lugar que parecía haber sufrido una inundación.

Tras entregarle algunos ochavos al chiquillo para que vigilara el caballo, los dos jóvenes entraron en la casa de baños, cada uno con su valioso equipaje a cuestas. Allí fueron conducidos hasta una espaciosa habitación saturada de vapor en la que ocho inmensas tinas separadas por una amplia tela, cuatro para los hombres y otras tantas para las damas, se hallaban llenas de agua… y con dos o tres personas dentro.

Un gran fuego crepitaba en la chimenea, y un buen número de empleados trabajaba sin descanso: unos transportando el agua limpia, otros calentándola para mantener siempre llenas las gigantescas cubas, los de más allá arrojando palanganas de agua

---

* En francés, *La Belle Meunière* es 'La Bella Molinera', y *Quenouille*, 'Rueca'.

sucia a través de las ventanas. Una gran cortina blanca, situada a media altura, separaba la zona reservada a las mujeres de la de los hombres. Sólo sus cabezas sobresalían.

Con notable diligencia, una sirvienta tomó a Blanche a su cargo, en tanto otra hacía lo propio con Bertoul. Les cepillaron sus vestidos conforme se iban desnudando para meterse en el agua. Bertoul se encontró en la tina con dos compañeros y Blanche con dos compañeras. Habían dejado sus fardos bien a la vista, no lejos de las cubas de madera, y tuvieron buen cuidado de no apartar los ojos de ellos.

Las sirvientas los enjabonaron, vertieron agua sobre sus hombros para enjuagarlos y, por último, les lavaron el pelo y les aplicaron un poco de vinagre para dejarlo brillante.

A su alrededor, las gentes no dejaban de hablar: trataban de negocios, se lanzaban piropos, se contaban historias de amor y de celos, se intercambiaban chismes y habladurías. Sólo los dos jóvenes, algo intimidados, permanecieron fuera de las conversaciones. Lo cual no fue impedimento para gozar de la sensación de volver a sentirse frescos y limpios.

Cuando volvieron a vestirse, Bertoul se puso la camisa y los calzones de repuesto que no había utilizado desde el comienzo del viaje.

Blanche, todavía secándose envuelta en una sábana, se inclinó sobre su fardo y sacó algo que Bertoul nunca hubiera sospechado: una elegante camisa con escote bordado y un vestido de seda, de un verde tan luminoso como un prado en primavera, bellamente ribeteado en las mangas y en el escote por una cinta de ramas floridas entrelazadas con pájaros posados sobre ellas.

Bertoul con su sencilla camisa y sus calzas, ciertamente limpias pero también bastas y casi ordinarias, se quedó paralizado con un «oh» a medio pronunciar al verla así vestida.

Blanche había derramado sobre su cuerpo unos polvos perfumados de lirio y, sentada en un taburete, solicitaba a la sirvienta de los baños que la peinara con su propio peine de marfil.

Era la primera vez que Bertoul la veía como una dama noble y no se atrevió a acercarse. A su lado se sintió tan miserable como un ratón o, menos aún, como un gusano.

La sirvienta desenredaba los cabellos de Blanche, mientras ella buscaba algo más en el fondo de su hatillo.

Uno de los bañistas, en voz bastante baja y con tono de broma, le dijo a otro:

—Mira esa chica, con qué gusto le hincaría el diente si…

Pero Bertoul no sólo tenía una vista excepcional, sino también un oído muy fino. Rojo de ira, se acercó al bromista y hundió su cabeza en el agua hasta que lo sintió debatirse lleno de pánico.

Cuando lo sacó del agua, le dijo:

—Os ruego, señor, un poco de cortesía con las damas.

—Gracias, Bertoul —dijo Blanche sonriendo.

—Disculpad, señorita —dijo el bromista con tono avergonzado—. He sido muy grosero y os ruego…

Blanche atajó sus excusas con un leve movimiento de mano, y el hombre, todavía un poco apurado, retomó la conversación con su compadre.

¡Blanche apenas se parecía ahora a la vagabunda que había sido en los pasados días! ¡Y qué decir de la fuerte impresión que había provocado en Bertoul! Más aún cuando, tras encontrar todas sus joyas, se las fue poniendo una tras otra. Una diadema plateada, que lucía un pequeño granate, para sujetar sus cabellos; un collar de oro guarnecido con turquesas, y siete sortijas que distribuyó entre sus dos manos, de las cuales la de su anular derecho, que llevaba el sello de los Vauluisant, era la más importante, pues probaba su legitimidad.

La sirvienta hizo un pequeño paquete con las ropas abandonadas y Blanche lo guardó en su equipaje.

—Ayúdame a levantarme —le dijo a Bertoul.

Él le tendió su mano cerrada y ella se apoyó ligeramente.

—Gracias —le dijo.

—Creo que ni siquiera me voy a atrever a hablarte —balbuceó.

Ella sonrió. Fue una sonrisa algo distante, contenida, casi aristocrática. Él tuvo la clara impresión de que no se trataba de la misma chica.

—No seas tonto. Eres mi compañero de viaje, hemos formado una alianza y nuestra aventura aún no ha terminado. No he cambiado, ¿de acuerdo?

—Oh, sí… —susurró.

Pagaron a la patrona de los baños y salieron a la calle buscando a Nube. Una vez recuperado, Bertoul ayudó a Blanche a instalarse en la silla, extendió el vestido verde sobre la grupa moteada y guió al animal a través de las calles hasta llegar al palacio de la Cité. Se había vuelto a colgar el zurrón al hombro para no deslucir la hermosa estampa de la joven dama en su montura.

Al llegar, Blanche se presentó a los guardias mirándolos altivamente pese a su afable sonrisa.

—Soy la noble dama Blanche de Vauluisant, hija de Jean de Flamincourt y de Maguelonne de Vauluisant. Querría ver a una persona del séquito de la reina, de nombre Tiphaine de Fontegrive…

Sin la menor oposición, Blanche, siempre encaramada sobre Nube, entró en el patio del palacio, mientras Bertoul se quedaba al otro lado del muro. Los guardias no le habían considerado digno de entrar en el real recinto, aunque fuera acompañando a una noble dama. En aquel lugar, hasta los lacayos y los servidores llevaban hermosos atuendos y acompañaban a sus amos montados a caballo.

Blanche se volvió hacia él y, haciéndole un pequeño gesto con la mano, le dijo:

—No te vayas. Volveré a buscarte.

Luego, una especie de personaje importante salió a su encuentro, la hizo bajar del caballo, la escuchó atentamente, examinó su sortija y, por último, la invitó a entrar en el palacio mientras un palafrenero se ocupaba de Nube.

El cielo del atardecer ya era rosa y malva por encima del palacio y se oscurecía cada vez más. Blanche aún no había vuelto.

Finalmente apareció un importante personaje, que debía ser un intendente o un chambelán, y se dirigió a Bertoul, que continuaba esperando sin hacerse notar.

—Traigo un mensaje de la noble dama Blanche de Vauluisant para el músico Bertoul Buenrabel.

—Soy yo —dijo él avanzando un paso.

—La noble dama Blanche de Vauluisant os ruega que os deis por enterado de que ha encontrado en palacio a la persona que buscaba y que no debéis, por tanto, preocuparos por ella. Os agradece haberla acompañado hasta aquí y confía en que vuestra estancia en París sea provechosa.

Bertoul se mordió los labios. ¿No tenía nada más que decirle? ¿Una posibilidad, quizá, de encontrarse de nuevo? Esperó a que el mensajero dijera algo más. Pero tal cosa no ocurrió. Dolorido y decepcionado, sintiendo el corazón oprimido, quiso convencerse de que aquel hombre no había comprendido exactamente lo que ella había querido decirle. De igual modo que él no comprendía bien el sentido de aquellas palabras tan formales, tan secas.

El chambelán, entre tanto, dio media vuelta y entró de nuevo en palacio.

«Bien», suspiró, «a fin de cuentas no he venido a París por ella, sino porque tengo una misión que cumplir...»

Y, nuevamente, el manuscrito le pareció terriblemente pesado sobre su hombro. Tenía que encontrar lo más rápido posible la calle de la Grande Truanderie y, en ella, al escribano público Magnus Gurhaval.

ᴄ·SORTILEGIO·
para protegerse del fuego

Enciende tres velas rojas
y quema incienso con sangre de dragón.
Vuélvete hacia el sur y evoca en tu corazón
los peligros del fuego de los que quieres escapar.
Levanta el brazo por encima de la cabeza
y llama así al Guardián:
'Yo te llamo, oh Gran León sagrado,
Guardián de la llama eterna,
tú que reinas sobre el elemento del Fuego,
que ordenas los incendios
así como las llamas del hogar,
cuyo espíritu se encuentra
en cada una de las llamas
que nacen a lo largo y ancho del mundo.
Ven conmigo a fin de que ningún peligro
procedente de tu reino
me alcance a mí o a los míos.
Y protégenos de todo peligro que provenga del sur'.

30

B UEN HOMBRE, ¿podría decirme dónde está la calle de la Grande Truanderie?

—Al otro lado del Sena, muchacho.

—¿El Sena?

—El gran río, naturalmente.

Bertoul siguió andando y cruzó el río. Ya se había hecho de noche y las bulliciosas muchedumbres de parisinos desaparecían rápidamente de las calles.

—Buen hombre, buena señora, ¿cómo puedo llegar a la calle de la Grande Truanderie?

Cada vez había menos personas de honrada apariencia a las que preguntar, y cada vez surgían más sombras furtivas en las encrucijadas de las callejas que, al otro lado del Sena, formaban el corazón de la ciudad. Parecía como si la calle que buscaba se ocultara premeditadamente, y lo cierto es que su extraño nombre no decía nada en su favor. Recordando a los ladrones y tironeros que había mencionado el cura de Saint-Victor-en-Hurepoix, caminaba con el zurrón firmemente agarrado, dando vueltas y más vueltas por aquella especie de peligroso laberinto.

Por fin, un transeúnte, al que visiblemente se le había hecho tarde, le señaló una dirección próxima, diciéndole: «Es aquella», y siguió apresurado su camino sin añadir nada más.

Bertoul penetró en la calle en cuestión, buscando ahora cuál podría ser la vivienda de un mago que se hacía pasar por escribano público. Recorrió todo el lugar mirando atentamente cada casa y cada fachada. La mayor parte de aquellos inmuebles eran comercios y tienduchas, pero de noche permanecían cerradas, y ni siquiera podía verse, a través de los postigos, el resplandor rojizo de un fuego o amarillo de una vela. El fuego estaba rigurosamente prohibido durante la noche para evitar el riesgo de incendios.

Hacia la mitad de la calle, vio un rótulo en forma de larga pluma cortada, posada sobre un pergamino desenrollado.

—Puede que sea ahí —se dijo esperanzado.

Se acercó un poco más. Se trataba de una casa lo suficientemente rica como para que su fachada estuviera cerrada, no por simples postigos de madera, sino por planchas de vidrio emplomado. En el interior brillaba una luz. La puerta de la casa tenía una aldaba con forma de anillo y sobre el dintel habían esculpido, a derecha e izquierda, dos figuras de animales. Bertoul estuvo a punto de desmayarse: ¡eran búhos!

En el mismo instante en que posaba sus desencajados ojos sobre los búhos esculpidos, la puerta se abrió bruscamente sin que nadie hubiera llamado y un raudal de luz se derramó sobre la sombría calle. Un hombre de pelo blanco y larga barba flameante, con los ojos hundidos y agotados, vestido con una hopalanda del color de los posos del vino, apareció en el umbral y le dijo:

—Pasa, te estaba esperando.

De nuevo estuvo Bertoul a punto de caer sentado.

—¿A mí? —balbuceó—. ¿Me esperábais? Pero... ¿por qué?

—Entra deprisa. Estoy fatigado.

El hombre se dio la vuelta hacia el interior y Bertoul lo siguió.

—Cierra bien la puerta y echa la barra —le ordenó el anciano.

Bertoul obedeció, aunque a disgusto por el hecho de quedar encerrado. El hombre se sentó en un sillón alto, pertrechado con numerosos cojines, y se dejó caer sobre el respaldo con un suspiro. Estaba muy arrugado y aparentaba una debilidad extrema.

—¿Qui... quién sois?

—Bien lo sabes. ¿Para qué has hecho este largo viaje si no es para encontrarme?

—Yo... yo busco a un escribano público.

—Soy yo.

—¿Y cómo sé que es verdad?

—Es verdad. ¿Acaso no has venido hasta mí enviado por Hermelinda de Tournissan?

—¿Co... cómo podéis saberlo?

—¿Te basta esa prueba para saber que es a mí a quien buscas? ¿Quién si no podría nombrarla?

—Vos... vos sois Magnus...

—Sí, Magnus Gurhaval. ¿Es ése el nombre que querías oír de mi boca?

—Sí —contestó Bertoul.

Sin embargo, aún estaba lejos de sentirse seguro. La casa del viejo escribano público era como una especie de mercadillo en el que los libros y los pergaminos llenaban por completo estantes y paredes. Sobre una amplia mesa de madera pulida descansaba un legajo de pergaminos vírgenes y un frasco de tinta, además de plumas, polvos, cortaplumas, reglas y otros complicados objetos metálicos que Bertoul no había visto nunca. En la chimenea ardía un buen fuego, y un candelabro de hierro forjado alumbraba con cinco velas de cera blanca. Cerca de ambos fuegos había sendos cubos llenos de agua.

—Trabajo todas las noches. No te preocupes, tengo la correspondiente autorización para encender el fuego.

Hablaba jadeando y parecía respirar con dificultad.

Algo más distante, en un rincón separado por unos cortinajes, Bertoul entrevió un conjunto de tarros, frascos, morteros con sus almireces, recipientes de vidrio llenos de líquidos de distintos colores y redomas que contenían porciones de materias desconocidas. En un crisol se cocía a fuego lento un mejunje que no tenía nada de alimenticio.

—Bien, muchacho, dime por qué mi buena Hermelinda te envía a mí. Pero, para empezar, dime mejor cómo te llamas.

—Bertoul —dijo él—. Bertoul Buenrabel.

—Luego eres músico.

Bertoul asintió con la cabeza.

—Ven a sentarte aquí, junto a mí, en este taburete. Así te oiré mejor. Y ahora…

Se detuvo un instante y recuperó el aliento antes de seguir:

—Y ahora, dime qué quiere de mí esa vieja comadre de Hermelinda.

—¡Ah, no! —dijo Bertoul irritado.

¿También aquel hombre iba a referirse a la señora con insultos, como había hecho Raoulet? En tal caso, él prefería largarse de allí y arrojar el manuscrito al Sena.

—Un momento, un momento —dijo el escribano como si le leyera el pensamiento—. No es mi intención insultarla, sólo era una expresión cariñosa. Vamos, cuéntamelo todo.

Bertoul abrió su zurrón y extrajo solemnemente el preciado manuscrito.

—Debo entregaros esto —dijo al entregárselo.

El rubí brillaba con el resplandor de las llamas, pero no palpitaba.

Magnus Gurhaval tomó el libro entre sus manos, unas manos viejas y arrugadas en las que sobresalían gruesas venas. Una sonrisa dulce y melancólica pareció dibujarse bajo su barba.

—¡Ah, mi hermoso libro de magia… al fin vuelve a mí! Justo en la víspera de mi muerte…

—¡¿Qué?! —exclamó Bertoul.

—Sí, Bertoul Buenrabel, voy a morir. Habría tenido paciencia para esperar el regreso de mi manuscrito antes de expirar. Pero ahora todo está en orden.

«¡Entonces todo este largo viaje ha sido para nada! ¡Para devolver el manuscrito a un moribundo!», se dijo Bertoul. «Definitivamente, este es el día de todas las decepciones. Mejor habría hecho si, desde el principio, hubiese leído las últimas páginas, aquellas que me están destinadas.»

El mago abrió la cubierta del libro. Paseó su mano sobre el pentáculo protector de la primera página, luego comenzó a pasar las hojas una por una.

—¡Ah, el secreto para caminar sin fatigarse!… ¡Y el de cómo hacer hablar a la gente en sueños!… Y también este otro, escucha, para guardar un tesoro en una cáscara de nuez. Y la confección de una cuerda con tres nudos para desencadenar tempestades o hacerlas amainar. ¡Ah, son hermosos secretos mágicos, mi joven amigo! ¿No has tenido deseo de conocerlos? Pero, ¡qué estúpido soy! Los búhos habrán estado vigilando, ¿no es cierto? Te habrán hecho cerrarlo enseguida.

—¿Vos lo sabíais? —balbuceó Bertoul.

—¿Lo de los búhos? Naturalmente. Este manuscrito tiene protecciones muy poderosas.

—Protecciones…

—¿Crees que un libro como éste puede ser abierto por cualquiera?

—Un monje pudo leer algunos fragmentos.

—Sí, sí —dijo el anciano—. Con ciertos individuos hemos tenido siempre dificultades para mantener una protección total. Curiosamente, con aquellos que peor disposición tienen hacia nuestro arte. ¿Me equivoco en este caso?

—No, tiene razón —confirmó Bertoul—. El monje era muy hostil hacia el libro. Y hacia mí.

—Para mí es un libro muy importante —dijo Magnus Gurhaval con emoción, casi con ternura—. Lo escribí con mis propias manos, ya hace mucho tiempo. Yo mismo trabajé y adorné la cubierta. Y elaboré la tinta con la que están escritas todas las fórmulas y recetas. Estoy muy feliz de haberlo recuperado. Moriré con el alma en paz. Habría sido una pena que hubiese sido quemado. O que se hubiese perdido.

El viejo mago pasaba las hojas sin cansarse y, por primera vez, los ojos de Bertoul pudieron demorarse en las páginas abiertas. Muchas de ellas estaban adornadas con dibujos como aquel del dragón que Bertoul había visto una vez de pasada, pero había también muchos otros, así como figuras y símbolos misteriosos. Otras páginas estaban enteramente cubiertas de escritura, y algunas contenían una especie de listas o algo parecido.

—¿Cómo sabíais que era la señora Hermelinda quien me enviaba? —se atrevió a preguntar Bertoul—. ¿Y cómo supisteis que me encontraba ante vuestra puerta? ¿Me estabais esperando?

El anciano sonrió largamente a través de sus arrugas y su barba, pero su respuesta no fue sino formular, a su vez, otras preguntas.

—¿Por qué Hermelinda me ha devuelto mi libro? ¿Ha hecho, al menos, un buen uso de él? ¿O lo ha tenido guardado, escondido e inútil, entre sus libros de oraciones y sus registros de cuentas?

Bertoul pensó de golpe que había estado a punto de olvidar la segunda parte de su misión.

—Mi señora Hermelinda os ruega le perdonéis el robo de vuestro manuscrito —dijo poniéndose de pie en señal de respeto a las últimas voluntades de la vieja dama—. Ella desearía vuestro perdón para que su eternidad sea serena.

—¿Su eternidad?

—Mi señora Hermelinda entregó su alma a Dios —dijo Bertoul con la cabeza inclinada—. Fue enterrada en la capilla de Tournissan.

—Ya lo sabía, desde luego que lo sabía —murmuró el mago—. ¿Crees que puedo ignorar cualquier cosa que le concierna?

La curiosidad habría empujado a Bertoul a preguntar que método seguía el mago para eso, pero se concentró en su misión:

—¿Le otorgaréis vuestro perdón por aquel hurto, mi señor Gurhaval?

—¡Aquel hurto! ¡Utilizas un delicado lenguaje! ¡Ella robó mi trabajo, la obra de mi vida! ¡Durante cincuenta años se ha aprovechado de mis hallazgos y descubrimientos, privándome a mí de hacerlo! ¿Y aún quieres que la perdone?

—Era ella quien lo deseaba. Era una dama increíblemente buena. Y no me pidió otra cosa que conseguir vuestro perdón.

—Pues no lo tendrá.

—Os lo suplico —dijo Bertoul arrojándose a los pies del viejo escribano—. ¿Qué puedo hacer para que lo concedáis? ¿Queréis que sea vuestro criado o vuestro alumno?

—¿Durante un solo día? No olvides que voy a morir mañana. Sería un pequeño sacrificio por tu parte.

—Pero es ella quien os suplica. Yo estaba a su lado en sus últimos instantes. Os juro que estaba muy afligida, mortificada, por haberos robado el libro, y no deseaba más que una única cosa:

vuestro perdón. Por eso, en su nombre y en el mío, os ruego que pronunciéis esas palabras. A vos os costará muy poco y a ella le darán sosiego en su eternidad. También vos tendréis una más dulce eternidad si sois generoso con ella en vuestros últimos instantes.

—¡Vaya, no careces de argumentos, joven Bertoul! ¡Veo que encontró en ti a un defensor encarnizado! ¿Qué te prometió si lograbas convencerme?

—Pero… nada en absoluto, mi señor. Lo hago por amor a ella.

—Por amor a ella… —repitió el hombre—. Vaya, eso es nuevo… ¿Qué sabes tú del amor?

Bertoul pensó brevemente en Blanche, que le había despedido como a un criado, pero enseguida se prohibió seguir adelante con ese amargo pensamiento.

—Ya conoces lo que es la frustración y la amargura, ¿no es cierto?

¿Cómo había podido el mago adivinar al instante un pensamiento tan fugaz? Debía ser cierto que los brujos podían leer en el alma y en el corazón.

—Eso es brujería —dijo Bertoul con voz opaca.

—Es sólo sentido común, amigo mío. Me ha bastado con ver tu cara descompuesta cuando se ha hablado de amor. ¿Querías a tu señora Hermelinda?

—De todo corazón —respondió Bertoul—. Ella me concedió muchos beneficios. Veló por mí e hizo que me dieran una educación.

—¿No te concedió ninguna otra cosa?

—Sí. Doce monedas de plata que llevo ocultas en mis suelas y que he conseguido no gastar durante mi viaje.

—¡No estoy hablando de eso, diantre! No te hagas el tonto porque no lo eres. De lo contrario, Hermelinda no te habría enviado a mí. ¿Y bien?

De repente, Bertoul bostezó. Era la segunda noche en vela y le pareció que podría quedarse dormido allí mismo, de pie.

—¡No te duermas! Aún tengo muchas cosas que decirte y que hacerte decir antes de morir. Has de permanecer despierto.

Bertoul se frotó los ojos, resignado a seguir sin pegar ojo. En fin, ya se recuperaría más tarde.

Magnus Gurhaval se levantó con mucho esfuerzo y buscó en el revoltijo de un armario hasta encontrar un frasco de cristal repleto de un líquido negro.

—Toma —dijo alargándole el frasco a Bertoul—. Bebe esto y no dormirás en toda la noche.

Bertoul tomó el frasco, con desconfianza, sin decidirse a destaparlo y a beber su contenido. El líquido, muy oscuro y a la vez transparente, le parecía tremendamente sospechoso.

—Vamos, bebe. No es un veneno, si eso es lo que temes. Un hombre que viajó por África me dio algunos granos de una planta que, en infusión, protege del sueño. Parece ser que los monjes de Oriente hacen gran uso de ella para poder cantar sin desfallecer en los oficios nocturnos.

Bertoul, sin embargo, seguía sin decidirse a introducir en su organismo aquel brebaje, por mucho que sus efectos estuviesen bendecidos por la religión. Se dijo que era joven y ágil, que había devuelto el manuscrito a su propietario, y que nada más le retenía en aquella casa, puesto que, desgraciadamente, el anciano no había querido otorgar su perdón.

Se levantó de un salto y corrió hacia la puerta. Y ya estaba quitando la barra de madera cuando se sintió repentinamente paralizado, incapaz de hacer un solo movimiento. A continuación, se sintió irresistiblemente arrastrado hacia atrás, como si un ser gigantesco e invisible lo agarrara por el cuello de su jubón para colocarlo otra vez en el lugar donde estaba.

—¡Así que eres tan necio como para intentar dejarme plantado! Más vale que te enteres: no vas a conseguirlo. Estoy a las puertas de la muerte, pero mis poderes siguen intactos. Ahora, más vale que te bebas ese elixir.

Sin otra opción que la de obedecer, Bertoul destapó el frasco y envió todo el contenido directamente a su gaznate. «Que ocurra lo que tenga que ocurrir», pensó mientras hacía una serie de muecas horribles. El negro brebaje era amargo y resecaba la lengua.

—Sí —dijo Gurhaval—, no es demasiado gustoso. Y eso que dicen que hay muchos que beben esa pócima por placer. Claro que se trata de infieles, y supongo que eso lo explica todo, ¿no te parece?

—Sí, claro —aprobó Bertoul con la voz aún ronca y estrangulada.

—Bueno, ahora que estás despierto vas a decirme qué otro regalo te hizo tu señora Hermelinda. Y, por favor, no te andes con rodeos.

Bertoul miró al viejo mago. Parecía saber mucho más que él mismo, de modo que nada iba a ganar tratando de ocultarle su don. En un susurro, le dijo:

—Puedo ver en la noche y en la oscuridad…

—¡Ah, el don de la vista aguda! Y supongo que también ves en la niebla, y las cosas muy pequeñas, y lo que está muy lejos, y los gestos del prójimo con algunos segundos de adelanto…

—No, eso no —dijo Bertoul—. Veo los gestos cuando se producen.

—Hum… ya los verás. ¿Y el resto?

—Sí, todo como vos habéis dicho.

—Bien —dijo el anciano—. Ella te favoreció con un hermoso don. ¿Sabías que fui yo quien le enseñó cómo llevarlo a cabo?

—¿Era entonces vuestra alumna? —se asombró Bertoul.

—¡Mi alumna! ¡Pffff!

De golpe, Magnus Gurhaval comenzó a toser y a temblar. Intentó levantarse, pero sus miembros estaban demasiado débiles y volvió a caer sentado en su sillón.

—¿Qué os ocurre, maestro Gurhaval? —se inquietó Bertoul—. Decidme lo que tengo que hacer. ¿Os puedo traer algún remedio? ¿Cómo os puedo ayudar?

—Eres un buen muchacho, joven Bertoul. Ven, ayúdame a levantarme y a llegar hasta mi cama. Allí, en la otra habitación.

Bertoul sostuvo al anciano, que en su extrema delgadez apenas pesaba, y lo condujo, casi en volandas, hasta la habitación contigua en la que ardía también un pequeño fuego.

—Ahora, en la vejez, siempre tengo frío —se excusó el mago.

Bertoul le quitó la hopalanda, dejándolo en camisa, y lo acomodó en su cama, apoyado contra los cojines y cubierto con varias mantas.

—En el tercer estante hay una pequeña botella que contiene un líquido amarillo verdoso. Es mi medicina. ¿Sabes leer? Sí, bien, pues verás una etiqueta que dice «Triaca»*. Tráemela deprisa.

Bertoul ayudó al agotado anciano a sorber el medicamento. Los ojos del mago, surcados de violáceas ojeras, estaban cada vez más hundidos. Cruzó las manos sobre la sábana y dijo:

—Gracias, Bertoul. Mi vieja amiga Hermelinda tuvo razón al confiar en ti.

Bertoul se quedó algo confuso: ¿la señora Hermelinda era una ladrona o una amiga? Empezaba a no entender nada…

—Siéntate a mi lado. Y escúchame.

---

* Antiguo preparado farmacéutico cuyo principal ingrediente era el opio.

ᴄ⁄SORTILEGIO
para hacer un espejo mágico

Toma una placa de acero brillante y bien pulida,
ligeramente cóncava, y escribe encima, con la sangre
de un palomo macho, en las cuatro esquinas,
los nombres de Jehovah, Elohim, Mitraton, Adonaï.
Cuando llegue la siguiente luna nueva, acércate a una ventana,
mira el cielo con devoción y pronuncia la invocación al Eterno.
Arroja sobre unos carbones ardientes el perfume adecuado,
que es el azafrán, y pronuncia otra invocación.
Luego perfuma el espejo y di tres veces la oración.
Después de haber rezado, sopla tres veces sobre el espejo,
y luego invoca a Anaël.
Cuando hayas acabado haz el signo de la cruz sobre tu persona
y sobre el espejo durante cuarenta y ocho días.
Anaël aparecerá bajo los rasgos de un hermoso niño,
te saludará y ordenará que te obedezcan.

31

NO TE ESPERABA, BERTOUL. Sabía que vendrías, enviado por Hermelinda de Tournissan, y que después yo podría irme con el corazón ligero. Te esperaba con impaciencia. Y apresuré tu llegada porque me sentía cada vez más débil.

¿No lo habías notado? Mediante ciertos procedimientos, conseguí reducir el tiempo. Las leguas han corrido bajo tus pies, y has caminado más aprisa incluso que un jinete a caballo.

Anoche, los búhos te apremiaron. Ya no podía esperar más. Voy a morir mañana, quizá no vea salir el sol. No comprendes bien todo esto, ¿verdad? Ahora vas a tener una explicación, Bertoul.

Sin duda, debes preguntarte por qué Hermelinda te ha enviado a mí para devolverme ese libro de magia que yo ya no tendré ocasión de utilizar. Te preguntarás también cómo tan noble y digna dama pudo ser una ladrona, cómo pudo aprender de un mago y alquimista como yo, cómo llegó a ser una hábil encantadora que practicaba artes secretas y prohibidas. ¡Ah, fuimos los dos tan jóvenes en una época…! ¡Tan llenos de ardor por los estudios, tan llenos de entusiasmo por adquirir conocimientos, tan llenos de curiosidad por la Magia! ¡Y trabajamos, oh sí, ya lo creo que trabajamos!

Escucha bien, Bertoul. Hermelinda no fue siempre una anciana dama, algo marchita ya y con el rostro surcado de arrugas. ¿La has imaginado, acaso, como una bruja, con la nariz ganchuda, los ojos brillantes y el rostro desabrido?

Pues has de saber que ella fue en su juventud una muchacha altiva cuya nariz aguileña acrecentaba la nobleza de su aspecto, y con unos ojos negros tan ardientes que era imposible sostenerle la mirada. Era una mujer bellísima. ¿Lo habías imaginado? Una belleza aristocrática, sin ñoñería y sin afectación.

Tenía dieciocho años. Su sensatez y sus conocimientos ya hacían de ella una joven singular, a quien los pretendientes no se atrevían a abordar. A los jóvenes caballeros no les suele agradar tener una esposa excesivamente instruida —les basta con que sepan llevar la administración de las tierras—, así que una novia erudita en la ciencia de la botánica, de la astronomía, de la física y hasta de la filosofía... ¡era demasiado!

Hermelinda de Loigny no estaba prometida, y sus padres no la presionaban para que encontrara marido. Ella prefería seguir aumentando su saber, como si supiera que más adelante, cuando llegara la época del esposo, los renacuajos, las heredades y los actos sociales, ya no tendría tiempo.

Sus padres aceptaron su capricho de recibir instrucción en todas las materias, y cuando buscaron un profesor para ella, yo me presenté.

En el momento de conocerla, yo tenía veintisiete años. Era, pues, bastante joven, como puedes ver. Pero ya había estudiado durante quince años con un maestro versado en todas las ciencias secretas, así como en la alquimia.

Tras finalizar mi relación con aquel maestro, y a fin de completar mis conocimientos, había seguido estudiando, esta vez con algunos de los hombres y mujeres más esotéricos y menos recomendables de París. Algunos habían pactado con el diablo, y sus laboratorios apestaban a azufre y carne putrefacta. Podías ver en ellos toda clase de animales abyectos, muertos y vivos, sapos disecados, víboras maceradas en alcohol, gatos mutilados... Únicamente quería aprender de ellos sus mañas y destrezas. No siempre es fácil delimitar los procedimientos de la magia de los de la brujería. Pero yo aprendí mucho junto a aquellas gentes oscuras partidarias del mal.

Por mi parte, jamás caí en la brujería. En la magia sí, claro está... Pero la magia es algo muy distinto a la brujería. La magia permite actuar e influir —oh, levemente, pero con eso basta— en las leyes naturales del universo. Los resultados son sorprendentes, ¿lo sabías? Basta con saber cómo proceder, en qué momento, con qué ingredientes y con qué palabras y sortilegios. No es difícil modificar el orden de las cosas, a condición de ir en el mismo sentido del movimiento secreto del mundo. De ser prudente. De cumplir escrupulosamente el ceremonial. Entonces todo es posible. Incluso volverse invisible, incluso volar por los aires, incluso prolongar indefinidamente la vida, incluso escapar de la prisión más inexpugnable. Sí, todo es posible. Sólo hay que conocer las fórmulas y aplicarlas con exactitud, después de haber sido purificado por el ayuno e iniciado en la más completa limpieza de cuerpo, de hábitos y de alma.

Tales fórmulas y procedimientos son extremadamente complicados de poner en práctica y muy difíciles de retener. Todo mago tiene un libro, que sólo le pertenece a él, y que él mismo confecciona con sus propias manos. Todo mago tiene su manuscrito de magia, su libro de secretos. El mío es éste que tú has tenido entre las manos, el que Hermelinda me robó.

Fue un mago de enorme sabiduría quien me instruyó en cómo fabricarlo y cómo dotarlo de la protección de un pentáculo, un rubí y unos signos grabados con oro. Él me enseñó a elaborar el pergamino, hoja por hoja, en función de las fases de la luna y de los planetas, a fabricar la tinta agregando el jugo de ciertas plantas y la sangre de determinados animales. Y él me descubrió cómo protegerlo de tal forma que no pudieran abrirlo o consultarlo aquellos que no conocieran el santo y seña.

No había cumplido yo treinta años cuando eran ya increíblemente numerosos los secretos mágicos que mi libro atesoraba. Y cuando en mi camino se cruzó la noble dama Hermelinda de Loigny, deseosa de aprender acerca de muchas más ciencias de las que ya conocía.

La orgullosa damisela era insaciable. Y su curiosidad no se detenía en las ciencias autorizadas. Fue un acercamiento muy largo y sutil, como una danza: ella deseaba que le hablase de la magia porque se había dado cuenta de que yo la dominaba, pero no se atrevía a dar el primer paso; yo deseaba hacer de ella mi alumna predilecta porque estaba absolutamente dotada para el aprendizaje, y con toda seguridad sería una secreta incondicional del arte que yo practicaba.

Finalmente, dimos el paso. Yo la inicié en la preparación de las plantas curativas, y le mostré mi valioso manuscrito, que nos servía a ambos de libro de estudio. Le enseñé los secretos de la mandrágora, de la sangre de la abubilla, de las velas negras, de los huesos de gato, de algunas invocaciones y encantamientos.

Pero todo eso fue poca cosa si lo comparamos con algo mucho más apasionante que nos sucedió: el amor germinó en nosotros, en nuestros corazones, y, créeme, Bertoul, sin que yo hiciera uso de ninguno de mis conocimientos. Aunque bien hubiera podido hacerlo, pues sabía muchos métodos para hacer que alguien se enamore aun en contra de su voluntad. También la joven Hermelinda los conocía, pues yo mismo la había instruido acerca de tales secretos, pero tampoco hizo uso de ellos.

Nuestra mutua inclinación fue natural. Y lo cierto es que aquel verano empleamos mucho más tiempo en hacernos tiernas declaraciones que en ejercitarnos en los sortilegios.

El amor se instaló en mi corazón y nunca más salió de ahí, cualesquiera que hayan sido los procedimientos que intentara para desalojarlo. Existe todavía... pero, en fin, creo que voy demasiado deprisa.

En otoño, Hermelinda vino una mañana a decirme que debía partir hacia su región, que sus padres le habían encontrado un novio llamado, según creo, Guillaume de Tournissan.

No me tomó por sorpresa. Yo no era de sangre noble, y aunque vivíamos con gozo nuestro amor, y nos besábamos en mitad de un preparativo o un sortilegio, bien sabíamos ambos que aquel idilio estaba destinado a ser tan secreto como pasajero. Sin embargo, uno y otra habíamos quedado atrapados, no tanto del placer como de un sentimiento tan intenso y tan profundo que no puede ser descrito.

Oh, sí, ya veo que sonríes imaginándote a una anciana arrugada y austera como Hermelinda y a un viejo carcamal barbudo y canoso como yo viviendo intensos momentos de amor. Pero no vayas a burlarte, jovencito. El amor no tiene edad y tampoco se olvida. Jamás. Y la magia, incluso la más pura, nada puede contra él: si ha ocupado de veras tu corazón, ya no lo abandonará nunca.

Pasamos diez días viéndonos el mayor tiempo posible antes de su partida y su matrimonio. Aquí mismo, en estas dos modestas habitaciones donde me había ya establecido como escribano público. Nadie ha sabido nunca de mis trabajos secretos y mis búsquedas en el campo de la magia. Nadie, salvo los maestros con los que estudié y, por supuesto, ella, Hermelinda de Loigny, que muy pronto sería la señora de Tournissan.

Ella, bajo mi supervisión, había comenzado su propio libro de magia. Pero estaba aún muy lejos de ser tan erudito y dilatado como el mío.

Nos dijimos adiós para siempre una noche de comienzos de otoño.

Y, por la mañana, mi manuscrito había desaparecido, reemplazado por el suyo, que apenas contaba con una docena de fórmulas. Yo hubiera podido recuperarlo fácilmente. Conocía procedimientos para obligar a las personas a restituir un bien robado, para obligarlas a hacer aquello que no desean o para detener el tiempo y volver hacia atrás, con lo que hubiera podido poner el libro fuera de su alcance. Pero no hice nada de eso.

Igualmente habría podido sellar para siempre el manuscrito, incluso de lejos, para que no se sirviera nunca de él. O habría podido transformar el texto a distancia, y convertirlo, por ejemplo, en recetas de confituras, poemas de amor o métodos de pastoreo. Tampoco hice nada de eso.

Siempre he sabido dónde estaba mi manuscrito. Siempre he sabido que ella lo utilizaba. Y siempre he sabido que hacía de él un buen uso, que acudía en ayuda de la gente pobre, que no castigaba mediante la magia a aquellos que lo hubieran merecido, que nunca recurría, en fin, a la abyecta brujería.

Mi espíritu la ha estado viendo, días tras día, año tras año, cuando era todavía una muchacha, cuando fue una mujer madura y, por último, cuando llegó a ser una anciana. También he visto que ninguna de las fórmulas logró que pudiera tener los hijos que tanto deseaba. Y que sentía escrúpulos por haberme robado, aunque no arrepentimiento. Su arrepentimiento no llegó hasta mí hasta que estuvo en el lecho de muerte.

Sabía que vendrías a devolvérmelo. Esperaba ese momento con impaciencia y te ayudé a llegar. Envié a los búhos para vigilarte y protegerte. Te he esperado con impaciencia, sí, porque me resulta insoportable vivir ahora que ella no está en este mundo. Te esperaba para notificarte que cumpliste tu misión.

No sólo le perdono su robo, sino que soy feliz de que ella haya vivido toda la vida acompañada de mi más preciado trabajo. No sólo la perdono, sino que siempre la he perdonado, desde el mismo instante en que me di cuenta de su… hurto. No sólo la perdono, sino que la amo.

Y antes del amanecer tendré la dicha infinita de reunirme con ella.

ⳗSORTILEGIO

para enamorar a alguien otra vez

Tienes que estar levantado antes de que salga el sol,
un día de Venus.
Entra en un vergel y corta
la más hermosa de las manzanas,
córtala en cuatro trozos, quita el corazón
y pon en su lugar una nota
con caracteres y nombres divinos.
Es necesario incrustar también en la fruta,
bajo la piel mondada y luego vuelta a colocar,
algunas palabras místicas.

Con dos agujas en cruz,
atraviesa el fruto diciendo:
'No soy yo quien te atraviesa,
sino que es Asmodeo, demonio de los placeres del amor,
quien atraviesa el corazón de aquella a quien amo'.
Arrójalo todo al fuego, murmurando:
'No soy yo quien te quema,
sino que es Asmodeo, que enciende mi amor en esa persona
al igual que quema esta manzana'.

32

BERTOUL NO OSÓ INTERRUMPIR con el menor ruido, movimiento, palabra o exclamación la confidencia del viejo mago.

Y, sin embargo, ¿quién lo hubiera pensado? ¡La señora Hermelinda enamorada! ¡Y de un mago de París! ¡Al que no veía desde hacía cincuenta años y al que jamás había olvidado!

Ahora sabía que no se había limitado a cumplir una misión de confianza. Había sido un mensajero de amor, igual que esos chicos que hacen de correveidiles entre una dama y un caballero que no pueden hablarse ni escribirse.

¡Él, Bertoul, mensajero de amor! Esa sí que era buena…

Muchas cosas se habían aclarado, particularmente la continua presencia de los búhos en torno a él durante todo el viaje.

En todo caso, así eran las cosas: la señora Hermelinda, la buena dama de Tournissan, con su rostro austero siempre enmarcado por su blanca toca, sus modales secos, su mirada de penetrante inteligencia, era una erudita en magia y otras ciencias, y le había hecho a él, al huérfano Bertoul, beneficiario de su saber.

¿Poseería alguien más de Tournissan algún don concedido por la magia de la señora? Quién sabe, tal vez Herbert, de la guarnición, hiciera florecer los rosales con la yema de los dedos.

O quizá Doette, la pequeña sirvienta, evitara infaliblemente los golpes mortales e incluso los simplemente dolorosos. O pudiera ser que Gauberte, en las cocinas, no sufriera nunca quemaduras. O que el capellán se volviera invisible. O que Emmeline, la nodriza, supiese amaestrar animales salvajes. ¿Quién podía saberlo? Más aún si los propios interesados ignoraban poseer un don o pensaban que todo el mundo podía hacer otro tanto.

Pero, ¿qué objeto tenía pensar en eso ahora? Se trata de gentes a las que no vería nunca más.

El viejo mago volvió a jadear. Y aferró a Bertoul por la manga para darle las últimas recomendaciones.

—Tengo algunas instrucciones para ti, muchacho. Lo primero de todo, tráeme ese pergamino enrollado que está ahí, sobre ese atril. Tráeme también esa tablilla. Ahora moja la pluma en la tinta y dámela.

Magnus Gurhaval desenrolló la hoja de pergamino. En ella había un largo texto ya escrito.

—¿Cómo me has dicho que te llamas?

—Bertoul —contestó el músico—. Bertoul Buenrabel.

El hombre caligrafió ese nombre en distintos lugares del documento, rellenando otros tantos espacios en blanco.

—Este es mi testamento —indicó—. Te lo lego todo.

—¿A mí? —exclamó Bertoul—. ¡Pero si ni siquiera me conocéis!

—¡Oh, claro que sí! —dijo el mago—. Además, mi buena Hermelinda te envió a mí. Y eso es más que suficiente. Bien, ahora escúchame. Mañana, todo esto que ves te pertenecerá. Antes del alba irás a buscar al notario y al sacerdote. Te nombraré mi heredero ante testigos y recibiré los sacramentos antes de ser inhumado en tierra cristiana, en el cementerio de los Inocentes, muy cerca de aquí.

—Pero… pero… ¿qué debo hacer yo con todo esto? —dijo, preocupado, Bertoul—. ¡Yo soy músico! ¡No soy escribano público, ni alquimista, ni nada parecido! Mi oficio es ser menestral, trovador de las damas, ese tipo cosas.

—Puedes hacer lo que quieras —dijo Magnus Gurhaval con voz baja pero firme—. Sabes leer y escribir, podrías continuar con mi despacho de escribano público. También puedes venderlo, así como mis libros y todos los materiales. Sacarías de ello un buen beneficio. Yo te diré a quién traspasar lo que se encuentra en este lado de la casa —y, al decirlo, señaló con el dedo el rincón de los crisoles y las redomas—, porque todo esto no puede caer en las manos de cualquiera.

Aturdido, Bertoul no acertaba a comprender lo que sucedía, ni se daba cuenta de que un cambio radical se estaba produciendo en su vida en ese mismo instante.

—Tenemos toda la noche para acabar esta charla —continuó Magnus—. Es preciso antes de nada que te hable del manuscrito. Ábrelo por la primera página.

Bertoul obedeció. Sentía todo el peso del libro sobre sus rodillas. El rubí no palpitaba y los búhos no hicieron acto de presencia.

—¿Qué ves? —preguntó el mago.

—Una estrella de cinco puntas rodeada por dos círculos y con una inscripción en cada una de las puntas.

—Eso se llama un pentáculo —explicó Magnus—. Todo libro de magia ha de estar bajo esa protección. ¿Qué más?

—Una inscripción: «*Magnus Gurhaval creó este libro, se lo cedió para su uso a la señora Hermelinda de Tournissan y, tras su partida al Reino de los Cielos, se lo entregó a Bertoul Buenrabel, de profesión músico.*»

La voz de Bertoul se atragantó al tiempo que leía esas palabras.

—¿Cómo es posible? —logró decir—. Mi nombre en la primera página del libro…

—Escribir sin pluma ni tinta es uno de los muchos secretos que contiene el manuscrito, mi querido Bertoul —dijo Magnus con tono divertido—. Ahora puedes pasar las páginas.

Bertoul no se hizo de rogar. Se puso a hojearlo sin orden ni método, descubriendo largos pasajes y misteriosas palabras y expresiones como «Melchiadel Bareschas, Zazel, Tiriel Malcha, en el nombre de Samael, desaparece ante Adramelek, Sachabiel…».

Le pareció ver fórmulas muy sencillas, como «Para evitar la picadura de las abejas, toma tres hojas de la planta llamada *Plantago amita* y métetelas en la boca antes de acercarte a ellas», junto a otras que se extendían a lo largo de muchas páginas.

—¿Mi señora Hermelinda sabía realizar todo esto? —preguntó impresionado.

—Hermelinda sabía utilizar el libro —respondió ambiguamente el mago—. Y de ti depende que sepas hacer otro tanto. Todo está aquí dentro, todo se escribe a la medida de tus necesidades si así lo deseas. Yo lo puse todo. Contiene los consejos que podrías encontrar en doce bibliotecas. Para encontrar lo que te es más necesario en cada momento, basta con buscarlo.

—Pero… ¿por qué yo?

—Hermelinda puso en ti su confianza, y sin duda sabía lo que hacía. A mí eso me basta. Al parecer, te lo mereces. Eso es todo.

Bertoul permaneció largo rato silencioso, tan sólo ocupado en seguir pasando páginas, intentando descifrar algunas de las palabras allí escritas y admirar los dibujos que contenían sin intentar comprender su significado. El anciano, con las manos extendidas sobre la sábana, parecía dormir.

—Claro que, si lo prefieres, puedes no hacer uso de él —dijo Magnus Gurhaval al cabo de unos minutos—. Olvidarlo por completo. En ese caso, te rogaría que lo cubrieses con tres lienzos, uno rojo, uno blanco y uno negro, que son los colores alquímicos, y lo envolvieras en otro tejido de color neutro, para después enterrarlo al pie de un roble. Los búhos impedirán que sea descubierto. Pero si eliges guardarlo, respétalo y no reveles nunca ni su existencia ni sus secretos.

—Así será —aprobó Bertoul.

—El libro te ayudará en muchas dificultades, Bertoul. Puede aconsejarte la opción a seguir cuando estés con dudas. Pero, desde luego, no creas que hará las cosas por ti. Tú eres el único dueño de tu vida, de tus decisiones y de tus deseos. Y nada ocurrirá si antes no trabajas para merecer los consejos y secretos del manuscrito. Aunque también contiene algunas recetas útiles y divertidas, este libro mágico fue concebido para ser utilizado por alguien que se halle en armonía con las fuerzas del universo, incluso con las más desconocidas, y es preciso estudiarlo con paciencia y sensatez para llegar a actuar en sintonía con dichas fuerzas. Son las fuerzas de los planetas, de las piedras, de las plantas, de los cuatro elementos. No se les puede manejar por diversión, como si se jugara a los dados. Aunque, dicho esto, añadiré que sí se puede jugar a los dados con las fuerzas del universo y no perder nunca… Pero, ¿acaso es divertido el juego cuando se juega sobre seguro? Lo dudo mucho. Existe, por supuesto, la fórmula para ganar siempre. Aunque quizá tampoco sea eso lo que te interesa.

—Me gusta tocar música y cantar —dijo Bertoul—. Y componer canciones y poemas. ¿Necesitaré el libro para eso?

—¿No tienes verdaderamente ningún otro deseo, ninguna otra aspiración?

—Bueno, sí —dijo Bertoul, pensando que le gustaría volver a ver a Blanche y ponerse, quizá, a su servicio.

—Tráeme esa copa llena de agua —dijo Magnus—. Y acerca esa vela.

Creyendo que el anciano tenía sed, Bertoul le acercó la copa a los labios, pero el mago la rechazó, se apoyó con más firmeza en sus almohadones y observó atentamente la negra superficie del agua en la copa de estaño.

—Tu destino está en el agua de esta copa —dijo lentamente—. Puedo verte, con el rabel en la mano, en una hermosa sala de un castillo. Ah… la escena se desvanece. Ahora hay una joven dama con un vestido de seda verde…

El corazón de Bertoul dio un vuelco. ¿Sería posible que Blanche formara parte de su futuro?

—Ah, esto que veo ahora es Tournissan. ¿Vas a volver?

—No lo creo —dijo Bertoul.

—Pues quizá vuelvas. Claro que también puede ser tu pasado lo que he visto, con Tournissan, el rabel y la dama de verde. Habría jurado, sin embargo, que era el porvenir. Pero no puedo estar seguro. Veo mal y estoy muy fatigado.

—Ohhh —suspiró Bertoul un tanto decepcionado.

—Vamos, muchacho, no te inquietes tanto por el futuro. Siempre tendrás la ayuda del libro.

«Secreto para hacer que alguien se enamore.» Bertoul recordó haber leído ese rótulo. ¿Se refería a esa clase de ayuda?

—Bertoul, tú has llegado hasta París, aunque no sin problemas, me parece.

—Así es —confirmó Bertoul.

—¿Has cumplido aquello para lo que habías venido?

Bertoul reflexionó un instante. Sí, había llegado a París, había restituido al mago su manuscrito, había recibido para su señora

Hermelinda el perdón de Magnus Gurhaval, Blanche estaba segura en el palacio real, Raoluet había perdido su rastro. Y, al día de hoy, él era libre para hacer su vida, podía establecerse donde quisiera gracias a sus conocimientos de música, lectura y escritura. No tenía que rendir cuentas a nadie y podía buscar una noble familia para ser su músico de cámara y su narrador de historias. ¿No era eso lo que siempre había deseado? Además, era dueño de un extraño y maravilloso libro que le abría otras mil posibilidades.

—Sí —le respondió por fin a Magnus Gurhaval—. He llevado a cabo todo lo que mi señora Hermelinda me pidió. Mi misión ha terminado y ahora podré establecerme como pensaba. He hecho lo que debía y he obtenido algo que no esperaba. Os agradezco de todo corazón los dones que me legáis, vuestro testamento y vuestro manuscrito, maestro Gurhaval. Seré digno de vos, de mi señora Hermelinda y del manuscrito, así como de toda esa ciencia de la armonía del universo por la cual me invitáis a trabajar.

Bertoul hizo una pausa. ¿Por qué experimentaba de pronto el sentimiento de que algo no había concluido?

Magnus Gurhaval suspiró.

—No te inquietes. La joven dama del vestido verde tiene buena disposición hacia ti.

Bertoul le dirigió una mirada de perplejidad. Pero en el fondo sabía muy bien que ahí estaba la pieza que tanto echaba en falta.

—De verdad, no te preocupes —repitió el mago.

Luego jadeó y colocó las manos sobre su corazón.

—Aaahh… siento que ya no me queda… mucho tiempo de vida… Ve, hijo mío, ve a buscar al notario y al cura. El alba… el alba ya está próxima.

Dicho esto, tosió débilmente y pareció recuperarse un poco. Entonces se irguió ligeramente y clavó sus ojos atentos en el joven que le miraba con inquietud.

—Vete ya... Y desconfía de la mala gente que abunda por aquí.

—No conozco la ciudad. ¿Cómo los encontraré? —preguntó Bertoul.

—Los búhos te guiarán —susurró el mago—. Síguelos. Ellos sabrán, ellos lo saben todo.

—Los búhos... también aquí...

—Siempre estarán contigo —dijo el anciano—. Son tus ayudantes, tus aliados... Tenles confianza. Ah... deprisa, ve a buscarlos.

Bertoul salió a la calle y se sumergió en la oscura noche. Comenzó a andar por la calle de la Grande Truanderie. Una pareja de rapaces que planeaba sobre la casa del escribano público esperaba a Bertoul para mostrarle el camino.

⟨SORTILEGIO
para estar siempre protegido

Solicita dicha protección cuando haya luna creciente.
Enciende una **vela blanca** y una **vela negra**
y quema con ellas un poco de incienso.
Mete una **moneda** en una bolsita de cuero
junto a unos **ajos molidos**
y pásala por el humo del incienso
mientras recitas:
'Que Hécate me escuche,
que bajo su auspicio sea segura mi protección
contra las presencias visibles e invisibles'.
Mientras lleves esa pequeña bolsa contigo,
ten por seguro que estarás siempre protegido.

33

MAGNUS GURHAVAL MURIÓ al amanecer, tras haber encomendado sus últimas voluntades al notario del barrio de Saint-Jacques y su alma al sacerdote.

Aunque sólo hacía unas horas que lo había conocido, Bertoul le lloró de todo corazón. El joven músico descosió su calzado, separó las suelas, tomó las doce monedas de plata que guardaba desde su salida de Tournissan y se las dio al sacerdote para que organizara las exequias y dijera unas misas por el descanso eterno del escribano público, así como por el de la noble señora Hermelinda de Tournissan.

¿Qué iba a hacer ahora? Comprendió que casi podía decirse que era rico. La casa de la calle de la Grande Truanderie le pertenecía con todos sus bienes. Trató de hacer un somero inventario de los libros que había y le parecieron a cual más apasionante.

—Lo cierto —se dijo—, es que si no fuese músico, podría seguir con el puesto de escribano público y pasar mi vida estudiando enciclopedias y libros de magia hasta convertirme en un sabio.

Sin embargo, una imagen insistente golpeaba su cerebro mientras examinaba aquellos volúmenes maravillándose de todo el saber allí reunido. Y esa imagen era el epígrafe que, entre otros muchos secretos, había entrevisto en el libro: «para hacer que alguien se enamore».

¿Necesitaría él de la magia para conseguir eso? ¿Y si un rabel fuera suficiente?

Con el dinero del mago se compró algunos vestidos menos ordinarios que los que llevaba habitualmente. Luego fue a los baños públicos, de donde no salió hasta encontrarse extremadamente limpio y, *ejem, ejem,* aceptablemente agraciado.

Cerró después la puerta de la casa de la Grande Truanderie y, con el rabel en la mano, se dirigió hacia el palacio que estaba en medio del Sena, el mismo en el que Blanche había desaparecido.

Se presentó ante los guardias, diciendo:

—Soy Bertoul Buenrabel, músico al servicio personal de la noble dama Blanche de Vauluisant.

El jefe de la guardia lo miró de arriba abajo y de abajo arriba.

—Entrad —le dijo—. La dama os espera. Ha ordenado que se os conduzca enseguida a su presencia.

Glosario

ABAD: nombre que se daba antiguamente al que usaba hábito eclesiástico. Superior de un convento.

ADEFESIO: persona fea, ridícula y extravagante.

ALAZÁN: caballo o yegua que tiene el pelo de color rojo o canela.

ALDABA: pieza metálica que se pone en las puertas para llamar golpeando con ella.

ALQUIMIA: arte con el que se pretendía hallar la piedra filosofal y la panacea (remedio para curar todas las enfermedades) universal.

ANATEMA: maldición, imprecación, palabras con que se pide el daño para alguien.

ASPILLERA: abertura larga y estrecha practicada en un muro o pared para disparar por ella contra el enemigo.

BAYO: caballo cuyo pelaje es de color blanco amarillento con visos rojizos.

BOVINO/A: propio del buey o de la vaca.

BROCADO: tela entretejida con oro o plata.

CALZA: vestidura que cubría la pierna.

CANCIÓN DE GESTA: la que trata del conjunto de hechos memorables de algún personaje.

CÁTEDRA: asiento elevado.

CIRCUNSPECCIÓN: cordura, prudencia.

COGULLA: hábito exterior que visten determinados religiosos.

CONCILIÁBULO: conversación secreta o reservada.

CRISOL: vasija muy resistente a la acción del fuego y que sirve para fundir los metales, el vidrio y otras materias.

DESCALABRADO: herido en la cabeza.

DESPOTRICAR: hablar sin consideración ni reparo.

DEVOCIONARIO: libro de oraciones.

DIATRIBA: discurso lleno de violencia.

DILAPIDAR: malgastar.

DONCEL: joven noble que aún no estaba armado caballero.

ELEGÍA: composición poética de tema triste y lastimoso.

ENJUTO: seco, delgado, de pocas carnes.

ESPECIADO: sazonado con especias.

ESPETÓN: hierro largo y delgado que sirve como asador.

ESPONSALES: ceremonia donde los futuros esposos hacen solemne promesa de casamiento.

EXEQUIAS: honras fúnebres.

FESTÓN: adorno en forma de guirnalda.

FÚTIL: de poca importancia.

GRANATE: piedra preciosa cuyo color puede ser rojo, anaranjado, verde, amarillo, violeta o negro.

HENIL: lugar donde se guarda el heno.

HERALDO: mensajero.

HEREDAD: conjunto de tierras y posesiones pertenecientes a un mismo dueño.

HIDALGO: persona que por su sangre es de clase noble.

HIPOCRÁS: bebida hecha con vino endulzado con azúcar o miel, en el que se han macerado diversas especias: canela, pimienta, jengibre, cilantro, nuez moscada, etc.

HOMILÍA: plática para explicar materias de religión.

HOPALANDA: especie de túnica de gran tamaño que vestían sobre todo los estudiantes.

ILUMINADOR: persona que adorna con colores libros, estampas, etc.

IMPEDIMENTA: equipaje que acarrea la tropa y que le impide marchar con celeridad.

JUBÓN: especie de camisa ceñida y ajustada al cuerpo.

JUSTA: torneo en el que los caballeros acreditaban su destreza en el manejo de las armas. Combate individual a caballo y con lanza.

LEGUA: medida equivalente a unos cinco kilómetros y medio.

MANDRÁGORA: hierba con flores en forma de campanilla, maloliente y de color blanco oscuro, frecuentemente utilizada en medicina, y a la cual atribuían antiguamente propiedades mágicas.

MARMITÓN: el que sirve en la cocina para los oficios más humildes.

MENESTRAL: artesano, persona que gana su sustento ocupándose de oficios manuales.

ODRE: pieza de cuero cosido que sirve para contener líquidos.

PALADÍN: caballero notable por sus hazañas.

PALAFRÉN: caballo manso en el que solían montar las damas.

PALMO: medida de longitud que representa la distancia entre el extremo del pulgar y el del meñique, estando los dedos separados. Viene a ser de unos 20 centímetros.

PALOMA TORCAZ: especie algo más grande que las demás, que habita en el campo y anida en los árboles más elevados.

PECULIO: caudal, conjunto de dinero.

PICOTA: columna situada a la entrada de algunos lugares, donde se exponía a los reos a la vergüenza.

PORQUERO: persona que cuida de los cerdos.

POTERNA: en las plazas fortificadas, puerta de menor tamaño que las principales, que puede dar al foso o al extremo de una rampa.

PÚTRIDO: podrido, corrompido.

RABEL: instrumento de música medieval, con tres o cuatro cuerdas que se tocan con un arco; es semejante a un laúd y es el lejano antecedente del violín.

RASTRILLO: compuerta levadiza de las fortalezas y plazas de armas.

REDOMA: vasija de vidrio ancha por abajo, que va estrechándose hacia la boca.

RESPONSO: oración por los difuntos.

RONZAL: cuerda que se pone a las caballerías al pescuezo o a la cabeza, para atarlas o conducirlas.

SALMODIA: canto monótono.

SANGRADURA: parte interior del brazo opuesta al codo.

SEDERÍA: mercancías de seda, conjunto de ellas.

SIBILANTE: que suena como un silbido.

SICARIO: asesino a sueldo.

SOBREPELLIZ: vestidura que se ponen los religiosos sobre la sotana.

SOBREVESTA: prenda de vestir que se usaba sobre la armadura.

TAMBORIL: tambor pequeño que se toca con un solo palillo.

TIRONERO: ladrón que roba por el procedimiento del tirón.

TONSURADO: que presenta una tonsura (porción de la cabeza, generalmente de forma circular, a la que se ha cortado el cabello).

TRONERA: ventana pequeña por donde entra poca luz.

TROVA: composición, generalmente en verso y con tema amoroso, que cantaban los trovadores.

TROVADOR: poeta provenzal (Provenza: antigua provincia francesa) de la Edad Media.

VÁSTAGO: persona que desciende de otra.

VESADO/A: instruido/a.

VÍSPERAS: una de las divisiones del día que establecieron los romanos, y que correspondía al crepúsculo de la tarde.

ZURRÓN: bolsa de cuero que suelen usar los pastores.

NOTA DE LA AUTORA

Las fórmulas mágicas o sortilegios que se intercalan en el libro no son invenciones caprichosas de la autora. Tanto las más antiguas, como las relativamente recientes, proceden de auténticos tratados o libros de magia y han sido fraguadas a través de siglos de prácticas de brujería, de supersticiones y de creencias en las propiedades simbólicas de objetos, plantas, animales, metales, colores y planetas.

Fórmulas como éstas pueden encontrarse en el *Tratado metodológico de magia práctica*, de Papus, en *El Gran y el Pequeño Alberto* y en muchos otros libros especializados. También en Internet existen numerosas páginas consagradas a la mitología y las creencias botánicas.

«En otro tiempo, fui profesora. Me encantaba *explicar* la Historia y sus peripecias. Siempre he sido muy sensible a la huella del pasado. Y a todo lo que ocurría al margen de la Gran Historia: tradiciones, leyendas, canciones, mitologías. Ya en mi infancia, me encantaba visitar museos, castillos, iglesias y lugares históricos; saber cómo vivían las personas de otras épocas, lo que pensaban y sentían, las cosas en las que creían. Después de haber leído mucho sobre esos temas, sentí la necesidad de transmitir mi pasión por ellos y me puse a escribir libros y novelas para jóvenes, siempre ligados a determinados aspectos históricos relacionados con lo extraño, lo inexplicable o lo fantástico.»

BÉATRICE BOTTET

SORTILEGIOS

ÍNDICE

EL MANUSCRITO DEL RUBÍ

El Manuscrito del rubí narra la historia de Bertoul. Una historia unida a la del secreto de un manuscrito. El relato se sitúa en los tiempos y escenarios históricos de la inquietante Edad Media, y se cuenta a través de tres libros:

Libro I: El secreto de los búhos.
Libro II: El sortilegio del gato.
Libro III: El canto de los lobos.

Los dos últimos serán publicados próximamente.

EL MANUSCRITO DEL RUBÍ II

En los bajos fondos de París se escucha un rumor: "¡Ha vuelto!, ¡el Manuscrito del rubí ha vuelto!". Esto inquieta a algunos aprendices de brujo, sobre todo a aquellos que saben que este libro mágico contiene fórmulas que cambiarán las leyes del Universo.

Con los secretos del Manuscrito, todo es posible: volverse invisible, cambiar el curso de los tiempos e incluso, para los espíritus malignos, ¡apoderarse de la voluntad del rey!

Muchos desearían tenerlo en su poder y el joven Bertoul, que es el guardián, deberá luchar para protegerlo.

EL MANUSCRITO DEL RUBÍ III

Ahora que Blanche ha vuelto a Vauluisant para gobernar su feudo, Bertoul, el guardián del preciado Manuscrito, siente profundamente abandonar a la mujer que ama en secreto. Los peligros parecen superados, pero la magia, la riqueza y el poder siguen siendo ansiados por los espíritus malignos.

La joven y el músico no sospechan, mientras se despiden, que su camino está todavía sembrado de peligros. En los límites del bosque se escucha el canto de los lobos, terriblemente amenazador, como un siniestro presagio.

Este libro se terminó de imprimir
en Taller de Libros, Córdoba,
el mes de febrero
de 2008.